查理九世—香巴拉，世界的尽头

[雷欧幻像]作品
LEON IMAGE WORKS
SHAMBHALA
THE END OF THE WORLD
浙江出版联合集团
浙江少年儿童出版社

— · CHARLIE DOGGIE · —

查理九世 — 香巴拉，世界的尽头
墨多多谜境冒险系列

目录 **(23)**
CONTENTS

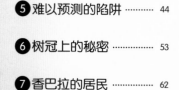
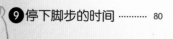

附录：

PLAYTIME
超级大侦探教室
Super Detective Classroom

星梦童趣
StarKids
Charlie IX Production Committee

谨以此书

纪念我的童年，
那是一段小有遗憾的幸福时光。

——雷欧幻像
LEON IMAGE

"衡量人生价值的并不是生命的长度，

而是生命的宽度。"

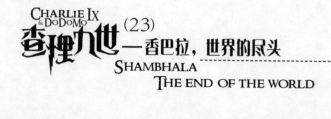

CHARLIE IX
& DODOMO
查理九世 (23) —香巴拉，世界的尽头
SHAMBHALA
THE END OF THE WORLD

"因此重要的不是我们活了多少天，
而是我们如何度过这些日子。"

神迹

引子
Let's begin!

　　茂密幽暗的森林里，树叶层层叠叠地堆积着，不给阳光留下一丝缝隙，只有不知名的诡异生物发出忽明忽暗的微光……

　　"呼哧——呼哧——"一阵急促的喘息声中，三个身着红色制服的士兵满脸惊惧、慌不择路地飞奔着。领头的士兵眼眶旁有一道明显的刀疤，他一边跑，一边神经质般地喃喃低语道："不能让他们追到，不能让他们追到！"

"哇！他们追上来了！"队伍最后的矮个子士兵发出一声惨叫。

"砰砰砰！"士兵们一阵乱枪扫射，只听到流弹嗖嗖乱飞。

"救命啊！"随着一声撕心裂肺的喊叫，矮个子士兵跌倒了。

刀疤脸士兵本能地转回头，只看到矮个子士兵仿佛被什么东西拽住了一样，"唰"的一下就被拖进了黑魆魆的森林里，消失在黑暗之中……

"什、什么鬼东西？竟然……不怕子弹？"恐惧如潮水般吞噬了剩下两人的意识，他们双腿发软，再也迈不出半步，瑟瑟发抖地站在原地。

刀疤脸士兵看到高个子士兵颤抖着从腰间掏出手枪对准了自己的太阳穴，但他根本还没来得及扣动扳机，树上落下来的什么东西就把他拖拽了上去，黑暗中只有他凄厉的叫声不断回响……

到处都是陷阱！他们整一个排的人，现在只剩下他一个了！

刀疤脸害怕地张了张干涸的双唇，那种撕裂的痛感让他混沌的脑子骤然清醒，求生的意志力驱使他再次迈出了逃生的脚步，他已经不清楚到底跑了多久，这片森林似乎没有尽头。

他脸上、脚上、手上到处都是伤痕，却一刻也不敢停下来休息，因为他很清楚地知道，停下来就是死！

刀疤脸没命地跑着，跑着，忽然，周围"唰"的一下黑了，什么声音都听不见了，什么东西都看不见了……

呵呵，刀疤脸终于停下了脚步，绝望地闭上了眼睛——这次轮到自己了吗？

他等了很久，可什么也没有发生。黑暗中，好像有一个低沉浑

厚的声音在呼唤他。

刀疤脸猛地睁开眼睛，惊恐地发现他正踩在一张巨大的绿皮脸上。

"你、你是神吗？"刀疤脸跪了下来，苦苦地哀求道，"求求你，救救我吧！"

绿皮脸眨了眨眼睛，刀疤脸的周围突然亮了起来。

一片沐浴在圣光之下的巨大草原出现在他的面前。亮晃晃的圣光温柔地笼罩着他，刀疤脸难以置信地沐浴在圣光之下，欣喜地喊道："我找到了！我终于找到了传说中的天堂！"

"传说，香巴拉是一个位于世界尽头的秘境之地，是迷失的人间仙境。只要你能发现它的秘密，那么它就会变成传说中的天堂……"

FILE 1
镜头一

huǎng yán
飞机上的谎言

CHARLIE IX & DODOMO

SHAMBHALA
THE END OF THE WORLD

嘀嗒、嘀嗒！现在是清晨六点，丘枫镇刚刚从晨曦中苏醒过来，墨多多家的客厅里却早已热闹极了——

"哎哟！我的脑细胞都要死光了！"多多苦着脸抬起头，两道浓眉挤成八字形。

"唉，完全看不懂啊。"婷婷托起小下巴，头一歪，烦恼地叹了口气。

"这个……那个……"扶幽左看看右看看，打开笔记本电脑，埋头查资料。

"嗷呜！本大爷暴躁了！你们研究吧，我先补充点能量！"
向来不爱动脑筋的虎鲨干脆甩手不干了，掏出口袋里的巧克力，一口咬掉一大半。

周末一大早，DODO 冒险队的四个小伙伴全都像他们的老大查理一样，顶着浓浓的黑眼圈，对着桌上的四张黄金地图和四份秘境珍宝，抓耳挠腮。

浮空城开放的时间临近，可多多他们却根本不知道怎么去，这不，大家昨天研究了一整宿，连黑眼圈都熬出来了，仍然毫无线索。

"汪！"

就在大家一脸郁闷的时候，查理突然发出一声响亮的吠

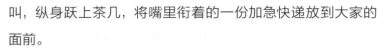
叫，纵身跃上茶几，将嘴里衔着的一份加急快递放到大家的面前。

快递信封上面显眼地写着——DODO 冒险队收，最最让人心跳加速的是，信封的封底上赫然印着"世界冒险协会"六个烫金大字。

天哪，这是一封来自世界冒险协会的信！

"疯、疯狗太郎，这个加急快递是什么时候到的？"多多激动得气都快喘不匀了，"你、你怎么不早点拿出来啊？"

查理斜了多多一眼，不紧不慢地说："这是邮递员叔叔刚刚送到的。"

"问题多多就是问题太多了，快打开看看里面是什么吧！"虎鲨一反常态地将手中的零食扔到了一旁，迫不及待地说。

"里面一定是去浮空城的方法！"婷婷和扶幽期待地凑到了多多旁边。

多多扯开信封，里面有一张十分精美的信笺，上面用娟秀的字体写道：

DODO冒险队：

　　飞机正在丘枫机场等候你们，我们会在十一点准时起飞。请跟我们一起踏上冒险的旅途吧！

信纸下方写着的出发日期正是今天！

"哇、哇……"扶幽指着头顶的布谷鸟挂钟，向来说话慢

半拍的他紧张得嘴巴都张不开了，"现在已经八……点……了！"

惨了，飞机十一点就要起飞了，而他们还什么都没准备！

怎么办？小伙伴们一个个愣在原地，面面相觑。

砰！

虎鲨一巴掌重重地拍在桌子上，惊醒了一群人："喂！都别愣着了，快！先回家收拾东西，在机场集合！打车去！"虎鲨果然是行动派，话没说完，人已经蹿得没影了。

一阵手忙脚乱之后，小伙伴们总算赶在十一点前抵达丘枫机场。

果然，一架印着"世界冒险协会"大字的豪华飞机气派地等在机场中央。

"你们好，我是穆雷！"机舱口站着一位高高胖胖、戴无框眼镜的工作人员。他亲切地微笑着，在看到大家出示的秘境珍宝和黄金地图后，对着气喘吁吁的小冒险队员们做了个"请"的手势，"欢迎你们，DODO 冒险队，请登机！"

"嗯……呜……"墨多多激动得眼泪都要流出来了，DODO 冒险队终于全员登上飞往浮空城的专机啦！

红头发、金头发、黑头发，黄皮肤、白皮肤、黑皮肤，飞机上坐满了来自世界各地的优秀冒险小队！DODO 冒险队一踏进机舱，就受到了极其热烈的欢迎，很快和大家打成一片，兴奋地聊起来。

"不知道浮空城是不是如名字一般，是座浮在空中的城

市呢？好期待啊。"多多自来熟地跟坐在第二排的红头发女孩聊了起来。

"嗯……"红头发女孩点了点头，正想说什么，却被后排的一个金发男孩打断了。

金发男孩热切地问道："对了，大名鼎鼎的 DODO 冒险队，你们都经历过什么样的冒险？讲讲吧！"

"快讲！快讲！"男孩的话立刻引起机舱里其他孩子们的共鸣，大家纷纷大叫着响应。

"这个啊……"多多刚要站起来炫耀一下自己的冒险史，就被虎鲨的熊掌狠狠按回座位。

"咳咳，安静，还是由我这个 DODO 冒险队里的核心人物来说吧！"虎鲨站起来，拍拍胸脯，开始吹牛，"我们斗过狮子，听过人鱼唱歌，还战胜过外星人！每当大家绝望的时候，都是靠我发明的第十套广播体操化险为夷的！哈哈，本大侠厉害吧！我的拳头是最硬的！"说完，他还狠狠挥了下拳，摆了个超人的 Pose。

"啪啪啪——"后座的孩子们使劲鼓掌、大声赞叹。沐浴在大伙儿崇拜的目光中，虎鲨得意扬扬地学起功夫片里的大侠，向在座的小听众们抱拳行礼。

"啊，只靠拳头就能冒险？我不信。"一个尖细的声音传来，后排的马尾辫女孩质疑地盯着虎鲨。

"对啊，单靠武力解决不了任何问题。"她旁边的蓝眼睛女孩附和着直点头。

"呃……我们当然不是只靠武力，"虎鲨胖脸一红，"我们还有……"虎鲨词穷，求助地看向旁边的小伙伴们。

"还有我！未来大侦探就是我啦！"多多趁机站起来自我介绍，"破解谜题对我来说，和呼吸一样简单！敌人的诡计、隐藏的线索、不合理的地方……任何蛛丝马迹都躲不过我未来大侦探的眼睛！每当冒险队遇见谜题关卡，通关就靠我了！"

"好厉害！"

多多的话又引来一片惊叹声！多多喜滋滋地摸着鼻子傻乐。

这时有人好奇地看向一直沉默的扶幽："你是做什么的？"扶幽不好意思地拍了拍百宝箱，开始介绍自己的几个小发明。

女孩子们则转向婷婷，聊起冒险时经历过的趣事，说到好玩的地方，还一个劲地追问细节。

直到飞机准备起飞，围着多多几个追问的孩子们才依依不舍地重新回到自己的座位上，不过依旧叽叽喳喳地问着、聊着，机舱里时不时爆发出响亮的掌声。

一开始，小伙伴们很享受这种被大家崇拜夸赞的感觉，可渐渐地，多多心底的不安越来越浓，总觉得其他冒险队的成员们看他们的眼神十分古怪。

为什么这些人只问他们的冒险经历却不谈自己的？似乎比起所有冒险队都梦想前往的浮空城，他们更关心 DODO 冒险队的冒险经历？

墨多多静下心来，转头仔细观察，只见身后的孩子们在

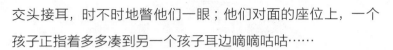

交头接耳，时不时地瞥他们一眼；他们对面的座位上，一个孩子正指着多多凑到另一个孩子耳边嘀嘀咕咕……

实在是太可疑了！

这时，最早提问的金发男孩张开嘴，好像要说什么，可是他刚吐出一个音节，就被周围几个孩子用眼神制止了！多多根本没听清他在说什么！

毫无疑问，只有相互熟悉的人才能凭借一个音节就知道对方想说什么。多多摸摸鼻子，沉思起来，难道这些来自世界各地的冒险小队互相认识，甚至熟悉？而且，他们之间似乎有什么共同的秘密是多多几个不知道的，只有多多几个是被隐瞒，被排除在外的……

可是，这些冒险小队不应该是今天才第一次见面的吗？

很快，婷婷和扶幽也察觉到不对劲了。这股奇怪的不安感究竟来自何处呢？突然，婷婷像发现了什么似的，小声对大家说："这些冒险小队有个地方跟我们不一样！"

Question 01　　　　　　　　　　　　　Lv. **D**

谜题一　　　　　　　　　　　　　　难度等级

不同之处

婷婷发现其他冒险小队有什么不一样的地方？

【正确的解答在16页，快去验证一下吧！】

小伙伴们恍然大悟！的确，飞机上的动物只有查理一只！

"汪汪！你们现在才注意到，真是迟钝啊！"查理露出一脸鄙夷的表情，整了整领结说，"看到大家陶醉于炫耀冒险故事，我就想着你们该不会还没看到浮空城的影子就把基本的观察力给丢了吧！"

查理的话让刚刚得意忘形的多多几个"唰"地红了脸，只有虎鲨不服气地站起来大声问："你们不是冒险小队吗？我们有探索者查理，你们小队的探索者呢？"

面对虎鲨的质问，方才兴致勃勃的孩子们忽然一个个蚌壳似的闭紧嘴巴，脸色难看地沉默了。片刻后，方才的金发男孩慢腾腾站起来，支支吾吾地说："我们的探索者……都在底舱休息。"

"不，你们说谎，飞机上没有你们的探索者，你们根本就不是破谜者！证据就在你们的胸口！"这一次，多多很快发现了端倪。

原来这些孩子们戴着的谜境徽章和多多他们的截然不同，就连他们各自的谜境徽章也都不一样，很显然都是伪造的。

没想到飞机上的冒险小队竟然都是假冒的！可是，没有黄金地图和秘境珍宝，他们是怎么通过身份验证登上这架前往浮空城的飞机的？

"我知道了！"墨多多摸了摸鼻子，摆出名侦探的架势，问道，"你们是不是伪造了黄金地图和秘境珍宝，然后妄想通过这种手段前往浮空城？"

虎鲨更是一个箭步冲上前，指着那群孩子吼道："冒牌货！大骗子！你们究竟是什么人？"

虎鲨的大嗓门一喊出来，那些孩子的脸色变得更加难看，一个个死死盯着多多他们，眼里燃烧着怒火和不甘，几个女孩子甚至默默地流下了眼泪。

看到他们的反应，多多几个越发惊讶了：怎么回事，怎么这些冒牌货看上去倒像受了天大的委屈？

"不，他们不是骗子，更没有故意冒充！"一声大喝自前方传来，工作人员穆雷急匆匆地冲出自动驾驶室，护卫般挡在那群孩子前面，正色道，"我想是你们搞错了，这架飞机并不是前往浮空城的！"

答案：
Answer

Question 01 Lv. D
谜题一 难度等级

【怎么样，你答对了吗？后面还有更多谜题等你挑战呢！】

"什么？飞机不是前往浮空城的？"小伙伴们惊讶地瞪圆了双眼。

"可是，我记得飞机上明明印着'世界冒险协会'的字样，而且，"多多急急忙忙地掏出那张有着同样字样的信笺，问道，"这封信不是冒险协会寄来的吗？"

"噢，那封信是我以个人的名义寄给你们的，"穆雷一脸惭愧地说，"如果让你们误会了，我很抱歉。实际上，我是世界冒险协会的机械赞助商，所以我随手拿了世界冒险协会的

信封寄了信……这架飞机也是我赞助给冒险协会的，今天只是借来用用。"

天、天哪！原来是个大乌龙！这么回想起来，信上的确没有写要去浮空城，只是提到了要一起冒险，原来是他们会错意了。这下糟了，会不会正巧错过去浮空城的时间啊！想到这里，小伙伴们全都郁闷地摆出了苦瓜脸。

仿佛看出了小伙伴们的心思，穆雷急忙补充道："你们放心，据我所知，浮空城的开放时间还没到，你们还有机会的！"

"那……您写信让我们来是为什么啊？"婷婷礼貌地开口问道。

"那是因为，DODO 冒险队，我需要你们的帮助——"

穆雷恳切地看着多多四人，指着周围的孩子们说："其实，这些孩子都是我收养的孤儿，并且都像唐晓翼和羽之冒险队一样，是身患不治之症的孩子。

"我之所以会加入世界冒险协会，就是希望能借助冒险协会里丰富的资料去寻找治愈这些孩子们的办法。当我得知唐晓翼和羽之冒险队所创造的生命奇迹，便用羽之队的故事激励这些孩子。虽然他们大都不能亲自去冒险，但对外面的大千世界都充满憧憬，怀揣着冒险之梦的他们自己设计、制作出了心目中的谜境徽章并戴在胸前，以此鼓励自己对抗病魔。我想这也是之前他们那么热切地向你们询问冒险经历的原因吧……"

穆雷说着哽咽起来，不少孩子的眼圈也跟着红了。

　　这些与多多他们同龄的孩子，表面上看似与常人无异，但仔细看就会发现他们全都身材纤瘦、脸色苍白……想到他们竟然在承受病痛折磨的同时却能保持乐观积极的心态，多多他们不禁怀念起他们的引导者唐晓翼来，而听说穆雷也认识唐晓翼和羽之冒险队，大家心中更多了几分亲切感。

　　虎鲨不好意思地抓抓头发，破天荒地主动道歉："对不起，我不该没弄清事实就随便指责你们。"

　　"没关系，没关系，"穆雷看着大家，郑重地说，"如果你们愿意的话，请帮助我一起拯救他们吧！"

　　"我们能做什么呢？"小伙伴们好奇地问。

　　金发男孩激动不已地说："帮助我们找到世界尽头的香巴拉！只要到了那里，我们就再也不用害怕病痛啦！"

"是的, 只要到了那里, 我们的病就会自动痊愈了!"

周围的孩子们充满期待地附和道。

香巴拉? 听到这个名字, 查理仿佛听到什么难以置信的话一样神情一凛, 警惕地竖起了耳朵。

多多几个也全都满脸疑惑: 真的有这样神奇的地方吗? 还有, 地球不是圆的吗, 哪里算是世界的尽头啊?

"绝对是真的! 因为有人曾经去过那里, 而且这个人你们都认识," 金发男孩胸口起伏着, 直勾勾地看着多多四人, 一字一顿地说, "就是你们的引导者唐晓翼!"

什么? 唐晓翼曾经去过那里?

四个小伙伴互看一眼, 可从没听唐晓翼提起过啊, 会不会是这些孩子搞错了?

"香巴拉也叫香格里拉, 不同于现实中的香格里拉县, 在世界冒险协会的'谜境档案'中, 那里被登记为传说中的谜境……对吧?" 查理边说边看向穆雷。

"嗯, 不愧是协会千挑万选出来的'探索者'!" 穆雷接着向大家说明道, "香巴拉很特别! 它在藏语中的意思是'极乐园'。千百年来, 不少藏传典籍中都有关于这个神奇世界的记载, 听说在世界尽头的秘境之地, 蕴含着地球上最古老的力量, 那力量隐藏着冲破时间枷锁的魔咒, 那里东不见日出, 西不见日落, 没有四季的交替, 常年被圣光笼罩、仙乐环绕, 是超越生死的神之领域! 在那儿, 人类的一切恶疾都能被治愈, 但一旦离开, 魔咒就会破除, 奇迹也随之消失。"

"哇，传说中的谜境！地球上最古老的力量！世界上真的有这么了不起的地方吗？"虎鲨听得眼睛闪闪发光。

穆雷点点头继续说："我不知道为什么羽之冒险队最后选择了离开，但他们的确去过。只可惜我们一直联系不上唐晓翼，只好写信拜托你们了。"

"可是……地球自转的同时围绕太阳公转，所以我们有了白天黑夜，有了四季。这个世界上怎么可能会有无日落、无日出、无四季、常年被圣光笼罩的地方呢？"

多多忍不住继续提出质疑，其他小伙伴们将信将疑，他们还记得以前的冒险中也遇到过不少追寻长生不老的事件，但最后往往只是着了魔的人类虚妄的幻想而已。

"对了，我有证据……"穆雷举起一盒录影带，将其放入播放器中。

"哗"的一声，所有的灯都熄灭了，机舱最前方的大屏幕渐渐亮起。

"唐晓翼！"小伙伴们惊愕地发现出现在画面中的正是唐晓翼那张熟悉的笑脸，只不过，画面上的他看上去个头小多了，看起来和多多差不多。

"真的……是三年前……"扶幽指着画面右下角显示的拍摄时间，慢腾腾地说。

唐晓翼身后，羽之冒险队的其他三个人也依次出现在了镜头前。尽管全体成员看起来苍白瘦弱，但是每个人的脸上都洋溢着自信的笑容。

　　唐晓翼调皮地对着摄像机挤眉弄眼，笑嘻嘻地说道："羽之冒险队决定接受挑战，找到'世界尽头的香巴拉'，等着看我们证实那个传说吧!"说完，他潇洒地挥挥手，率先步入机舱。他的身后，羽之冒险队的其他成员一个接一个地在镜头前道别，然后转身上了飞机。

　　很快，飞机起飞，在紧随其后的第二架飞机上，摄像机忠实地记录着整个冒险过程。

　　镜头里，羽之冒险队所搭乘的飞机不断地上升，高高地飞翔在被称为世界屋脊的青藏高原上，天空蔚蓝澄净得如同一块蓝宝石，偶尔有一两朵白云调皮地擦过机翼，一切都是那么静谧美好。

　　突然，本来行驶平稳的飞机不安分地抖动起来，录像里传来了奇怪的骚动声，听上去就像野兽在磨牙……羽之冒险队搭乘的飞机像喝醉了酒似的剧烈摇晃起来。

　　"糟糕！那架飞机一定是遇到强对流天气了！"多多着急地说，眼睛一眨不眨地盯着屏幕。

　　"不……不可能……"扶幽立刻纠正多多，他的表情很急切，但语气却一如既往，慢悠悠的，"从画面上看，天空蔚蓝，天气状况良好，而且……颤抖的是唐晓翼他们的飞机……摄像机记录的画面却很平稳，没有一丝抖动，这说明，跟在唐晓翼他们身后拍摄的飞机……没出现问题。"

　　没错！其他孩子也纷纷点头赞同，如果真的遇到强对流天气，为什么紧邻的第二架飞机上的摄像镜头一点都没有震动？说明第二架飞机根本没有受到影响啊！

　　录像中那磨牙似的骚动声越来越大，飞机如非洲野牛般跳动起来，大家心惊胆战地盯着录像画面，冷汗直流：羽之冒险队乘坐的飞机要坠落了！

　　忽然……一道白光划过机身！整架飞机眨眼间消失无踪，仿佛被看不见的粉笔擦从蓝天上狠狠擦去，不留一丝痕迹。

　　咦，飞机不见了！画面中只剩下一望无垠的天空，那架刚刚还在空中行驶的飞机就这样在地平线上消失了！

　　小伙伴们难以置信地瞪大眼，这段录像忠实地记录了整架飞机在天空中消失的过程，简直像变魔术一样，实在是太不可思议了！

"这不科学！"多多脱口而出。

"这个录像……不会是合成的吧？"扶幽瞪大眼睛，怀疑地说，"一架重达几十吨的……飞机怎么可能……飞着飞着，就好端端地……在地平线上消失了？"

"嗯，录像里也看不见任何的遮蔽物。"婷婷说。

"我看的时候也曾怀疑，但后来我找专家鉴定过，录像本身不存在任何问题！"穆雷咳嗽一声，郑重地说，"有时候人最不能相信的就是自己的眼睛，因为在光线和周围景物的作用下，眼睛是会骗人的！我想，唐晓翼的飞机并不是消失了，而是进入了传说中世界的尽头——香巴拉！只不过这个入口普通人的肉眼难以发现，所以看上去飞机像是突然消失了一样。"

"可唐晓翼的飞机……突然消失，也不能证明……他去的地方就是香巴拉……"扶幽面露疑惑地说。

"如果世界上真的有这么美好的地方，唐晓翼和羽之冒险队为什么不留在那里呢？"多多点头附和，"因为如果传说是真的，那么他们只有留在那里才不会受到病痛的折磨啊！"

"对啊，要是明明能活下去，却跑出来找死，那才是傻瓜呢！"虎鲨不信地哼着鼻子。

"不，我可以用性命担保，香巴拉是存在的，因为……我弟弟穆风就是追随他们的脚步去了香巴拉，并且他现在还在那里！"穆雷信誓旦旦道，边说边郑重地从贴身口袋里掏出一个皮夹，小心翼翼地翻开，皮夹的夹层里插着一张清晰的照片。

穆雷的弟弟穆风? 又出现了一个和香巴拉传说有关的人。小伙伴们互相看了看, 一齐凑过去。

一看到照片, 多多他们就惊呆了——

照片正中站着一个戴眼镜的瘦高男人, 男人张开手臂微笑着, 他的身后, 数万只被列为濒危动物的藏羚羊在欢快地奔跑! 更诡异的是, 照片中的光线异常明亮, 照得穆风整个人和他背后的藏羚羊群身上都泛起一层光, 仿佛被圣光包围, 置身于极乐世界一般!

"看到了吧? 穆风所在的地方就是香巴拉, 这张照片就是证据! 那是一个截然不同的世界," 穆雷很肯定地说, "你们一定发现了, 那里有个地方和我们的世界很不一样!"

Question 02

谜题二

Lv.

难度等级

另一个世界的亲人

小伙伴们很快发现了穆雷所说的那个世界中不一样的地方, 从照片上看, 你发现什么了吗?

【正确的解答在35页，快去验证一下吧！】

FILE 3
镜头三

huáng jīn dì tú
黄金地图之谜

CHARLIE IX & DODOMO

SHAMBHALA
THE END OF THE WORLD

穆雷向大家展示了一张弟弟穆风的照片，小伙伴们赫然发现，诡异的照片上似乎显示的完全是另一个世界！

大家将照片翻了过来，照片背面写着一行小字：

我已经找到了天堂，带上所有患绝症的孩子们一起来！

怪不得穆雷和这些孩子会如此坚定地相信香巴拉的真实存在。但看着这张照片，问题多多脑子里又浮出了一个问题：

"虽然香巴拉很不一样，但能确定那里真的可以治愈绝症吗？"

面对多多的问题，穆雷深深地吸了口气，回答道："我之所以相信这种不合常理的事，是因为穆风本身就是证据。如果香巴拉不能治愈绝症，我弟弟不可能活到今天，因为他本身也是一个绝症患者！其实，我之所以会收养这些绝症孤儿，也是因为我弟弟……"

随即，穆雷将弟弟的故事告诉大家——

原来，他的弟弟穆风十多岁时被诊断出患有威尔森氏症。虽然穆雷家里很有钱，但面对这罕见之症却一点办法都没有，只能眼睁睁地看着弟弟饱受病痛的折磨。

然而穆风却表现得很坚强，甚至对家人说，他觉得自己很幸运，虽然生病了但家人始终关怀着他，而他从新闻上得知很多患了绝症的孤儿十分可怜，没钱求医也没人疼爱。

家人们一边祈求生命的奇迹能降临到穆风身上，一边流着泪资助他们两兄弟建立了一所慈善孤儿医院。他们收养了许多无亲无故的孤儿们，包括飞机上这些患有不治之症的孩子们。他们免费为他们提供医疗救助，希望能尽到自己的绵薄之力。

只是单凭微薄的人力却无法对抗残酷的命运，孤儿医院的孩子们一个个离开人世，孩子们对生命的憧憬却永远留在了大家心中，成为大家继续前进的动力……

直到数月前，穆风的生命也即将走到尽头，他的身体急剧衰弱，恰好这时，穆雷无意中在世界冒险协会的一架飞机上发现了唐晓翼他们去香巴拉的录像资料，并拿给了穆风看。香巴拉的传说给了穆风一线新的希望，他决定用自己最后的时光来冒险。如果他成功了，那么其他的绝症孩子就都有救了！

怀揣着最后的希望，穆风凭借自己收集到的资料踏上了寻找香巴拉的旅途，自此杳无音讯。就在穆雷以为弟弟穆风已经去世的时候，却意外收到了穆风寄来的这张照片。

"现在你们明白了吧？"穆雷激动地说，"如果香巴拉的传说不是真的，我弟弟穆风根本不可能活到现在！所以，无论付出怎样的代价，我都要将这些孩子带到那里去。只可惜……我到现在都没弄明白香巴拉的入口在哪里。"

说到这里，穆雷和绝症孩子们都将目光投向 DODO 冒险队，期待地说："你们和唐晓翼一起经历了那么多的冒险，一定从他那里听说过什么关于香巴拉的事情吧？"

这个嘛……小伙伴们面露难色。多多心虚地实话实说:"对不起啊，虽然我们很想帮助你们，但是唐晓翼从来都没有跟我们提过羽之冒险队的冒险经历，所以……"

看到孩子们和穆雷的脸上浮现出了失望的神情，多多连忙大声地安慰道:"不过，我想既然唐晓翼和你弟弟都能找到香巴拉，那么其中一定有蛛丝马迹可循。对吧，查理?"

多多说着把查理推到前面，一脸自豪地说:"我们家的探索者'查理'可是相当厉害的呢!"

又把难题抛给我啊?查理无奈地抽抽嘴角，问穆雷:"你弟弟能进入香巴拉，除了视频之外，他还有没有别的线索?"

"有，跟照片一同寄回来的，还有四张黄金地图，这是我弟弟在出发去香巴拉前花大价钱从黑市收回来的……"穆雷从背包里掏出四张黄金地图递给大家，思索着说,"我想，香巴拉入口的讯息应该就藏在这四张地图里，可是我研究了大半个月，却一点儿头绪都没有。"

"什么?香巴拉的入口讯息藏在黄金地图里?"多多几人震惊不已，他们一直认为集齐四张黄金地图就可以登上浮空城，但从来没有想过，黄金地图里还藏着别的讯息。

"这可是协会里的机密……"穆雷压低声音，神秘兮兮地说,"其实我也是在送飞机时，无意中从协会工作人员那里偷听到的。听说黄金地图之所以称为地图，就是因为每四张黄金地图中都隐藏着一个 S 级谜境的讯息。但是没人知道黄金地图从何而来，只知道地图有一百多张，分散在世界各地。

所以想要去某个 S 级谜境，就必须要集齐与之相关的那四张黄金地图。我弟弟也是花费了很大的功夫，才集齐了隐藏着香巴拉谜境讯息的那四张。"

"S 级谜境是什么？"虎鲨双眼圆睁，整个人都陷入了美妙的幻想中，"是不是隐藏着一个超大宝藏的谜境就叫 S 级谜境啊？"

为了不让虎鲨把 DODO 冒险队的脸丢光，查理连忙接口解释道："协会把世界上存在着未解之谜的地方称为谜境，越多人存在疑惑的地方就是越大的谜境，按等级难易分为 ABCD 四级，而那些只存在于传说中的超级谜境就被称为 S 级谜境，香巴拉就是其中之一！"

婷婷想了想，接口道："这么说，我们的四张黄金地图是随意收集到的，每一张上面也许都只隐藏着指向某个 S 级谜境的四分之一讯息，难怪我们看不出个所以然……"

"对啊，所以我们还是集中……研究香巴拉的这四张吧……"扶幽兴致勃勃地说。

多多急忙摊开穆雷递过来的四张黄金地图。如果能够破解这四张地图，就一定能找到香巴拉的入口。

大家试着把四张黄金地图按照各种排列组合的方法拼凑在一起，可让所有人失望的是，黄金地图上面的图案似乎没有任何关联，根本没办法组合在一起。

"扶幽，把你背包里能喷水、喷火的道具拿出来试试，"虎鲨突然插嘴道，"说不定上面的文字是用隐藏墨水写的，用

火一烤就出来了。"

经过这么多次的冒险，就连一向不善于思考的虎鲨也能凭借经验为大家提供破解办法。

"等一等！"查理看向地图翘起来的一角，舷窗外的强光正把它照得透亮。查理似乎发现了什么，快速将所有地图全翻了个遍，"哼哼，看来我们一直被迷惑了，没有找到真正的讯息，你们看，也许黄金地图的玄机就在它的背面……"

得到提示的多多猛地俯下身，鼻子几乎都贴到了地图上，他指着黄金地图，兴奋地大叫道："我明白了！这些东西也许是一个数字迷宫！"

仔细查看黄金地图背面，小伙伴们一个个都反应了过来，所有人恍然大悟：原来那些描绘着繁复线条的部分看似是地图的正面，其实是背面，而真正的正面则是布满了麻点的背面！那些看似排列无序的点在光线照射下和若隐若现的网格合在一起，竟然是一个个被井字竖线平分成九个小方格的大方格！

"这不是九宫格吗？"婷婷一语道破。

"没错，"查理毛茸茸的爪子一拍，表情严肃地说，"九宫格是一种非常非常古老的计数方式，通过九宫格中的点的位置来记数，一个九宫格里的一个点表示该位置的相应数字。一位数为一个九宫格，二位数为两个并联的九宫格，以此类推。而黄金地图上四个角加上中间部分一共有五个数字，可以将其看作一组数字。不过麻烦的是，我想不通这些数字究竟是什么意思。"

数字迷宫

下图是某张黄金地图的一角，你知道这些九宫格表示的是什么数字吗？

【正确的解答在35页，快去验证一下吧！】

就在查理凝神思索的时候，飞机上响起了一阵热烈的掌声。

"哇，你们真是太厉害了！"

"狗狗探索者好强啊！"

目睹 DODO 冒险队的解密过程，孩子们纷纷激动地拍手，用崇拜偶像般的神情看着小伙伴们，穆雷更是夸张地眼泛泪光。

"咳咳！总之，大家先记录下这四张黄金地图上的数字，看看能不能发现什么。"在查理的提议下，飞机上所有人都加入了破解地图的行列，大家很快解开了每张地图上的五个数字……可这些数字代表着什么呢？

"唉，"扶幽长叹一口气，摇头道，"要是有我哥哥他们那种……警用侦破数字密码的……计算软件就好了。"

扶幽话未说完，穆雷像是被点醒了一般"咦"了一声，急忙拿出自己的笔记本电脑，将其连接到飞机的大屏幕上，并飞速敲打着键盘说："有希望了！虽然我没有密码破解软件，但是我的笔记本电脑里装着数字关系演算软件，如果这四个数组之间真的有数学上的演算关系，电脑能够在几秒钟内给出答案！哈，快过来看！"

大家连忙挤过去，果然，笔记本上已经显示出运算结果——

这四个数组竟然代表了某个四元一次方程组的四个系数及一个等式结果。根据对这四个方程组的演算，四个未知量也立刻显示了出来，它们分别是：100,30,4500,30。

这几个数字传递的究竟是什么信息呢？

答案：
Answer

Question 02　Lv. *C*
谜题二　难度等级

【怎么样，你答对了吗？后面还有更多谜题等你挑战呢！】

答案：
Answer

Question 03　Lv. *D*
谜题三　难度等级

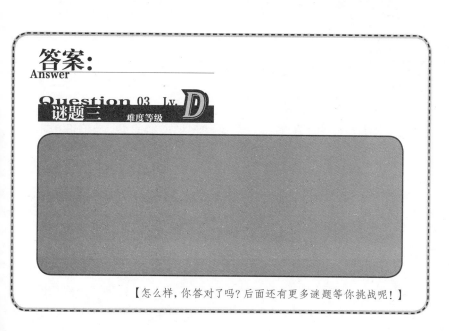

【怎么样，你答对了吗？后面还有更多谜题等你挑战呢！】

dì píng xiàn
消失的地平线

CHARLIE IX & DODOMO

SHAMBHALA
THE END OF THE WORLD

黄金地图上的密码数字虽然已被破解出来了，但谁也不知道这些数字代表着什么……

众人焦灼地盯着屏幕之际，扶幽突然目光一闪："我……想起来了！我以前在警察哥哥的 GPS 定位系统上……看到过类似的数字，好像是经纬度以及……某地的海拔高度，地球上的任何一处位置，只需要三个坐标数字……就可以定位！在确定香巴拉的入口在这附近的情况下……这组数字应该指的是……东经 100° 北纬 30° 海拔 4500 米附近……"

"这个经纬度跟我们所处的位置非常吻合，而且唐晓翼所坐的飞机也是在附近消失的,只是……"查理也想到了这一点,可让它不明白的是最后一个数字,"为什么会有……四个坐标呢？"

"最后那个数字，会不会是某个角度啊？"反复观看录像的婷婷突然将录像定格在了飞机消失前的画面，指着说,"你们看，最后一秒飞机好像是以某种仰角的角度飞行的。"

没错，婷婷说得对！查理兴奋地点点头，黄金地图的秘密在大家你一言我一语中被顺利破解了！

"哇，破解了！"飞机上所有的孩子都高兴地大叫起来。

穆雷急忙将刚破译的讯息输入了飞机自动驾驶系统中。

然而就在飞机调整好预定方向准备飞行的时候，一个所有人都没想到的情况出现在了眼前——

"这个坐标真的不是骗人的吗？"多多看着呈现在电脑上的地形图和入口位置，惊恐地大喊起来，"如果按照这个方向前进，一定会机毁人亡的，因为它在引导我们撞上前面那座高山啊！"

多多的话犹如给大家兜头浇了一盆凉水！

大家凑到电脑前一看，果然，飞机的前方矗立着一座巨大的雪山，而全速飞行的飞机即将撞上去！

穆雷急忙再次冲进机舱，想要更改操作。

但来不及了，飞机已经笔直地冲向近在咫尺的白雪皑皑的山峰——

"哇啊啊啊啊！"

刺眼的光芒爆炸般散开，所有人都下意识地捂住了眼睛。一瞬间，热浪袭来，灼烧般的高温中，多多以为自己被抛进了熊熊大火，肆虐的火舌舔舐着他的身体，好烫！快要烤熟了，多多忍不住嗷嗷叫痛——

坏了！坏了！飞机一定是撞上山崖了，引起了连环爆炸！多多使劲睁开眼，却只能看到白茫茫的一片……

"我喜欢吃烧烤，可是我不想变成烧烤啊！啊！啊！"耳边传来虎鲨的吼叫声，多多哭笑不得。

扑哧——

心口剧痛，多多疼得"哇啊"一声叫了出来，眩晕迷茫间，似乎有什么东西刺穿了胸膛一般。

就在多多双眼发黑、大脑发晕、恶心得直反胃的时候，周围的温度恢复了正常……

发生什么事了？多多惊讶地睁开眼，瞬间吓了一跳！

墨多多此刻正站在一间大殿之中，他从没见过这么古怪的地方……比如他身边这根巨型石柱，上面雕刻着古朴粗犷的纹路，但那纹路间又有某种流光溢彩的能量在流动，就像在某种远古质朴的东西上加入了超现代的科技元素一样。

这让多多有种说不出来的奇怪感受，总觉得这里似乎不像现代人类建筑的风格。

他的视线沿着石柱向上看去，头顶是个方正的巨型穹顶，这是什么地方？小伙伴们呢，穆雷和其他孩子呢？

就在多多满腹疑惑的时候，大殿突然震动起来，多多惊恐地发现身边整齐排列的四根石柱开始剧烈摇晃起来，和地面摩擦发出震耳欲聋的巨响。

紧接着，整个大殿平移开来，露出了另一番光景。

多多整个人都呆住了，一种从未有过的震撼和不真实感从脚底一直涌上脑门，他的大脑嗡嗡直响，似乎本能地抗拒这一刻所接收到的信息——

谁能想到，刚刚还被多多认定是大殿的物体，只不过是一张巨大的椅子！而那根巨型石柱竟然只是椅子腿而已！

原本坐在椅子上的巨人此刻站了起来，那是一个巨人！超级巨人！可能足足有百米高！

多多双脚发颤，跌坐在地上，惊恐地观察着身边的巨人：他有着暗绿色的皮肤，和人类极其相似的外貌特征，手中还捧着一枚精致的徽章，正手舞足蹈地说着些什么……

随后是四面八方传来的爆炸般的巨大欢呼声，这欢呼声犹如万艘万吨巨轮在多多周围同时拉响汽笛！

天啊，绿皮巨人不止一个！

海量的信息如决堤的洪水一般涌入多多的大脑！多多这才意识到原来他身处巨人集会的现场，刚刚那么安静应该是众巨人在聆听为首那个巨人讲话。而此刻所有的巨人都起立欢呼，巨大的声波从四面八方涌过来！

轰隆隆的巨响让多多感到自己的骨头都要被震碎了！

多多逐渐失去了知觉，巨大的轰鸣声也离他越来越远。多多依稀辨认出那些轰鸣声是在反复喊着同样两个字："德里！""德里！""德里！"

再睁开眼，墨多多发现自己被一群孩子围在中间，正对面是一脸焦急的婷婷。

"胆小多多，你终于醒了。"虎鲨一拳砸在多多的脑袋边上，"你昏过去了！"

"没事吧？大家都很担心你。"穆雷摸摸多多布满汗珠的额头，他的身后，站着那些身患绝症的孩子，他们也都关切地看着多多。

多多清醒过来，立刻连珠炮似的向大家发问："大家都没

事吧？我们平安降落了？发生了什么？"

多多的话让周围的气氛瞬间凝固。大家你看看我，我看看你，似乎有什么难言之隐。

"倒是没有……剧烈的撞击……也没有机毁人亡，飞机就像……撞上一张巨大无比的弹性大网……被兜住了……急速的刹车、回弹，然后，然后……"扶幽支支吾吾地说，"我、我们都做了一个奇怪的梦。"

多多深吸一口气，不敢相信地问："奇怪的梦？你们也梦到那个巨大的殿堂和绿皮巨人了吗？"

"那个大家伙吓了本大爷一跳，比电影里的绿巨人还要大很多！"说起这个梦，连小霸王虎鲨都露出了不可思议的表情。

周围的孩子都点了点头，但是，这真的是梦吗？为什么大家会做相同的梦呢？

按照现代科学的说法，梦境应该是人体无意识随机产生的，梦中的一切都来自于外界各种客观事件的刺激。一般来说，绝对不存在一群人做同一个梦的情况，更不用说梦中的那些景象他们压根儿见都没有见过。

可如果不是梦，那又是什么呢？

大家的脑子里就像缠满了乱麻，理不出头绪来。

"汪汪汪汪！"突然，查理冲着舷窗急促地吠叫起来。通常这代表着查理发现了什么重要的事情。

孩子们一同看向窗外——

天啊，窗外竟然是一片一眼望不到边的茂密森林！

"哇，落在森林里了。"虎鲨长出了一口气，拍拍胸口，"暂时安全了。"

"可是，我们刚才的坠落只持续了一小会儿，"婷婷担忧地喃喃道，"怎么会突然从雪山上来到森林里呢？"

"外面的这种树是云杉，这种云杉喜欢亚寒带气候，一般生长在海拔两千多至三千多米的地带。难道说，我们刚才一下子下降了一千多米？"查理面露疑惑地说。

大家也全都满头问号，回想起飞机降落之前，明明差一点就要撞上雪山了，可转眼却来到了一大片森林里。如果刚才有另一架飞机凑巧在他们身后，一定也会见到和唐晓翼他们录像带中一样诡异的场景——

一架正在飞行中的飞机，突然在撞上雪山之前消失了！就好像是地平线上突然张开了一个裂口，将整个飞机吞了下去，然后消失得无影无踪！

他们的遭遇真的仅仅是下降了一千米而已？墨多多的直觉告诉他，这一切没那么简单。

"奇怪啊……"扶幽从多多身后探出脑袋，惶恐不安地指向窗外说，"你们……没发现吗？外面的森林诡异极了……简直不像我们……所熟悉的地球！"

Question 04

谜题四　　　　　　　　　　　　　　Lv. B

难度等级

异样的森林

扶幽为什么说森林诡异呢？

【正确的解答在52页，快去验证一下吧！】

FILE 5
镜头五

xiàn jǐng
难以预测的陷阱

CHARLIE IX & DODOMO
SHAMBHALA
THE END OF THE WORLD

孩子们透过舷窗向外看去，只见一旁的金盏花才刚刚开花……另一边的樱桃就结果了……而梧桐竟然……已经开始落叶了。

"看那边！"婷婷惊愕地指向飘着花香的树丛，五颜六色的花朵正竞相开放，"天哪，我第一次看到迎春花、石榴花和桂花同时开花！"

穆雷却露出了无比激动的表情，他嗓音发颤地说："我知道了……我们真的到了香巴拉！"

　　穆雷打开舱门，欣喜若狂地说："传说中，香巴拉是一个没有白天黑夜，没有四季更替，终年被圣光笼罩的地方。这么一来，在长期不间断光照的影响下，这些植物的花期界限不再那么分明，只要条件合适就会一起开花，因此才出现了大家面前这种奇异的景象。大家看看眼前的森林吧，传说一点都没有错！"

　　"没错！"坐在前排的男孩冲到穆雷身边，兴奋地说，"我们一定是找到了那个神秘的入口，来到了香巴拉，就像……嗯，就像是进入了另一个空间一样！"

　　"太棒了，我们终于来到了传说中的香巴拉！"

　　"我们再也不用畏惧疾病和死亡了！"

　　孩子们欢呼雀跃着冲出飞机，大口呼吸着香巴拉的空气。

　　然而没走几步，所有人都感觉鼻子好像被什么东西堵上了，呼吸很不通畅，只能张大嘴巴，大口大口地吸气。

墨多多摇摇晃晃地踏出几步就站住不动了，腿肚子上像绑了两个铁砂袋，每迈一步都异常沉重。

"这是……怎么……回事？"虎鲨呼哧呼哧喘粗气，说话速度几乎和扶幽同步了。他旁边的扶幽更是连话都说不出来了，整个人快趴地上了。很快，所有人都如同烂泥般瘫软在地上。

"呼，也许是高原反应……"一个孩子说道。

"不……不对……"适应了一会儿，扶幽终于断断续续说出话了，他将手中的气压测量仪伸到大家面前，"这里的海拔……很不正常。高原上，空气稀薄，气压会低于平原上的……标准大气压！可是，你们看……测量结果！这里的气压……比标准大气压高！当人体处于高于标准大气压的环境中，也会出现……类似高原反应的不适应症状。"

难道说，他们现在是在一个比水平海拔还要低的地方？查理默不作声地四下打量着，这个地方太不对劲了。

"我懂了，"就在大家困惑不解时，穆雷一拍脑袋，恍然大悟道，"怪不得一直以来，所有寻找香巴拉的探险家们搜遍天空、陆地仍旧一无所获，原来它其实一直藏在地底下啊！"

渐渐适应了这里气压的其他孩子，也好奇地打量起了周围的环境，浓密的树木层层叠叠地遮盖了天空，似乎根本无从判断究竟身在何处。

穆雷目光热烈地看向四周，推测道："如果我没猜错的话，周围这些高原植物很可能是在漫长的地壳运动中发生的奇迹！是部分高原地陷的结果！"

说起地壳运动，记得亚瑟的故乡亚特兰蒂斯就位于海底的一个地壳空洞里，难道说，这里和亚特兰蒂斯一样吗？

正当多多用力摸着鼻子思考的时候，周围隐隐约约地传来一个声音——

"叮叮咚咚——"

一阵悠扬的乐声蜿蜒钻进了每个人的耳朵里，那声音清冽空灵，明澈舒缓，如梦似幻，好似天籁。

实在是太好听了！所有人都沉醉了，多多听得浑身发麻，不知不觉间，泪水竟然涌出了眼眶。

"你们听！是仙乐啊！"金发男孩激动地说，"香巴拉是一个被圣光笼罩、仙乐环绕的地方，一切都印证了！"

越来越多的证据表明，他们真的来到了传说中的香巴拉！

来对地方喽！绝症孩子们欢呼雀跃，兴奋地拥抱在一起。

经过一段时间的适应，他们的呼吸和力气也慢慢地恢复了，大家已经可以站起来走路了。

"真好听，真想……永远留在这里聆听……"

"可是，这些音乐究竟是从哪里来的呢？"

查理动了动耳朵，正心存疑惑，就见一旁的多多仿佛受了什么蛊惑一般，踉踉跄跄地走到一棵参天大树旁，将耳朵贴在了树皮上。

"是树！太神奇了，香巴拉的树竟然会演奏音乐！"多多无比陶醉地双手环抱着树干，"音乐就是从里面传来的！真是……真是……太好听了！"

其他孩子见状也都纷纷靠近周围的大树，学着多多的样子将耳朵贴在树皮上，贪婪地聆听起来。渐渐地，每个人的脸上都露出了痴迷的神情，连一向耐不下性子听音乐的小霸王虎鲨也情不自禁地加入了孩子们的行列。

看到他们欲罢不能的神情，婷婷和扶幽也心里痒痒起来，耳畔的音乐仿佛有蛊惑人心的魔力，催促着每个人靠近那些演奏仙乐的大树。

婷婷和扶幽觉得手脚有些不听使唤了，仿佛全身的感官都随着音乐在起伏，最后连意识也模糊起来，他们一步步地迈向大树……

就在多多如痴如醉地听着美妙的音乐时，突然，一个低沉却清晰的声音在他的头顶上响了起来："不要听！"

听到这句警告，多多瞬间清醒了过来。

咦，有什么东西在扯自己的脚？他低头一看，只见查理一脸警惕地咬住他的鞋子将他往后拖。很显然，查理也发现了这些音乐不对劲儿！

见多多清醒过来了，查理又急忙将扶幽和婷婷拖了回来。他们的脸上也都露出了惊疑的神情，很显然他们也都听到了那个警告的声音。再次打量起周围的情景，三个小伙伴立刻吓了一跳。

只见那些贴着大树听音乐的孩子们，全都露出了古怪的表情，仿佛进入了梦乡一般，神情也变得迷离起来。

"不行，得赶紧将他们拉离那些大树！"一直沉浸在找到香巴拉的喜悦中的穆雷仿佛也察觉到了不对劲的地方，和三个小伙伴们一起展开了救援行动。

大家齐心协力，将贴在树上的孩子们往回拉。可不论他们怎么努力，那些沉浸在仙乐中的孩子们根本不肯离开大树，尤其是小霸王虎鲨，几人一起上也拉不动他。

情急之下，查理猛地朝虎鲨的脚后跟咬去，虎鲨吃痛，一个趔趄往后倒，一脚踩破了树下那些青色的苞囊。

苞囊破碎的瞬间，仙乐戛然而止，取而代之的是一个如轮船汽笛般巨大的声响。这巨大的声响如同重锤般敲击在孩子们的头上，那些贴着树干的孩子们捂着耳朵，幡然惊醒。他们茫然地看着周围，似乎完全不记得刚才自己都做了些什么。

"汪！大家小心一些，不要去听那些音乐！"查理严肃地调整领结，放大音量以便大家都能够听到它的话。

"仙乐响起时……可以用这些耳塞……堵住耳朵。"慢半拍的扶幽捣鼓了半天，总算从百宝箱里翻出了满满一盒耳塞递给大家。

"可是，好奇怪啊！"墨多多难以置信地说，"为什么香巴拉的大树会演奏音乐呢？"

"我想是因为这里的树……内部是空心的……"扶幽用手指着树干上不少黑色的孔洞，用自己掌握的物理知识推测道，"这里的大树歪歪扭扭……树皮上的孔洞类似笛子上的小孔一样……当有空气流通的时候……就会从中发出音乐，而地上的这些苞囊……应该是起到将声音强化的作用……苞囊被踩破……则会刺激树木发出一个自保般的巨响……"

"真奇怪，没想到世界上还有这么奇怪的植物。"多多摸着鼻子，心中又冒出了一个新的疑问，"可是，它发出音乐是为了什么？"

"笨蛋，你还没发现吗？是陷阱！这美妙动听的音乐是树的陷阱啊！"查理神情严肃地抬头盯着森林上空说道。

大家连忙顺着查理的目光看向那遮天蔽日的树冠顶部，顿时惊骇得说不出话来。

 Question 05 Lv. **B**

谜题五　　　　　　　　　　　　　难度等级

仙乐的陷阱

查理为什么说仙乐是树的陷阱呢？

【正确的解答在52页,快去验证一下吧!】

答案:
Answer

Question 04 Lv.**B**

谜题四　　难度等级

【怎么样，你答对了吗？后面还有更多谜题等你挑战呢！】

答案:
Answer

Question 05 Lv.**B**

谜题五　　难度等级

【怎么样，你答对了吗？后面还有更多谜题等你挑战呢！】

FILE 6
镜头六

mì mì
树冠上的秘密

CHARLIE IX & DODOMO
SHAMBHALA
THE END OF THE WORLD

看到这一幕，墨多多只觉得浑身冷飕飕的，惊起了一身的鸡皮疙瘩，几个绝症孩子吓得抱在一起尖叫起来！

这些会演奏音乐的树冠上，竟然藏着一具具尸体！

一阵寒风扫过，伴着树叶的沙沙声，挂在树上的物体晴天娃娃似的随风摇晃起来。

所有人都被这个发现惊呆了，浑身发软，牙齿打战：陌生的环境、诡异的寒风……死亡的恐惧如灰色潮水般涌上每个孩子的心头……

　　树上挂着的是什么人？怎么死的？又是什么东西将他们挂在高高的树冠上的呢？问题多多的脑子里一下子蹦出许多问号。

　　突然，他猛地一拍脑袋，后怕地猜测道："我知道了！一定是什么动物在这些人被大树演奏的音乐吸引之后，朝毫无防备的他们发动了袭击，才会……"

　　"听说有的野兽喜欢把抓到的猎物放在树上风干，总之，大家都小心一点，听到什么动静立刻警告其他人！"穆雷脸上冷汗涔涔，眉毛紧紧拧成川字，显然，香巴拉里隐藏的危险大大超出了他的想象。

　　空气中的气氛在这一刻陡然凝固了！原本郁郁葱葱的森林，在孩子们眼中变得阴森诡异起来，如同一只只潜伏的巨兽，等着猎物自投罗网……

　　难以预知的危险让恐惧如同野兽锋利尖锐的爪子，一下

一下钩扯着孩子们脆弱的神经。

那些没有冒险经验的孩子们此刻全都瑟瑟发抖地看着多多他们，仿佛 DODO 冒险队是他们唯一的依靠。

查理在大家周围绕了一圈，鼻子敏锐地嗅来嗅去，随后它肯定地说："放心，周围除了我们，没有其他动物的气味……"

随后查理的目光停留在树冠上，那些尸体让查理觉得很可疑，似乎某些重要信息就隐藏在其中……但因为离得远，根本看不清细节。

"扶幽，你用望远镜看看。"查理对扶幽说。

扶幽连忙从百宝箱里掏出望远镜，只看了一眼，就脸色大变，仓皇失措地说："这、这是什么啊？真恶心……太奇怪了……它们和普通的尸体不一样！我听哥哥说过……正常情况下……尸体会腐烂，但是这些挂在树上的尸体却保存着……完好的皮肉，只是像水分被蒸发掉一样……整个身体收缩……变小了……"

扶幽语无伦次的话，激起了小伙伴们的好奇心，他们一个个接过望远镜，看去——

那些尸体的面貌可怕极了，皮肤上泛着诡异的光泽，像浸过水的皮革一样揉皱在了一起！

"这不可能！"查理接过望远镜一看，难以置信地对大家说，"这些是鞣尸！可是它们形成的条件很苛刻，一般来说，只会在酸性土壤里形成，因为酸性土壤会造成尸体的骨骼和牙齿溶解变软，内脏缩小，导致整个尸体慢慢缩小。可是……

这些尸体挂在森林的树冠上，身上的衣服都已经风化了，它们长期处在流通的空气中，是不可能变成鞣尸的……不过，虽然不知道这些鞣尸是怎么形成的，但有一点我可以肯定，就是这些人绝对不是最近死亡的，因为他们是一群早在一百多年前就从历史舞台上消失了的英国龙虾兵！"

龙虾兵？那是什么东西？除了婷婷之外，其他孩子都对这

个称呼相当的陌生。

"龙虾兵是英国的军队，因为身穿红衣，看上去就像火红的龙虾，所以才叫龙虾兵。"熟悉历史的婷婷急忙给大家做了介绍，"龙虾兵曾经出现在各大战争之中，在历史舞台上扮演了重要的角色，可以说，大英帝国有曾经的辉煌，这些龙虾兵功不可没。"

听起来，这些龙虾兵都是非常厉害的角色啊！连他们都被挂在树上变成了鞣尸，那么袭击他们的那股力量该有多么可怕啊……

想到这里，多多的后背不由得寒气直冒，忍不住问道："可是，这些龙虾兵为什么会来香巴拉呢？"

穆雷脸色冷峻地说："我曾经在一些资料里读到过，二十世纪初，英军曾经入侵中国西藏，寻找传说中的香巴拉！说不定他们的目的就是为了寻找传说中隐藏在香巴拉的地球上最神秘的古老力量。"

"那最后他们找到了吗？"四周的孩子们也七嘴八舌地发问了。

穆雷摇了摇头说："寻找均以失败告终，而那些参与寻找的人也全都不见了。不过，大概谁也不会想到，传说中的那些英军最后被挂在了树干上，变成了一具具恐怖的鞣尸吧——"

说到这里，穆雷说不下去了，一股浓重的忧色浮上了他的眼底。毫无疑问，香巴拉跟他想象中的截然不同，让他不由得怀疑起自己带着这群孩子来找弟弟穆风是否是个正确的选择，而弟弟的安危也令他忧心不已……

无数疑问涌入了大家的脑海之中，所有人都开始心神不宁。这些龙虾兵到底是怎么变成倒吊在树上的鞣尸的呢？香巴拉里隐藏着的神秘古老力量又是什么？

不安在孩子们中间扩散，未知加剧了孩子们心中的恐惧，是前进还是放弃？他们踌躇地回望着飞机的方向，似乎有些想打退堂鼓。有几个孩子甚至开始偷偷抹起了眼泪。

挑战未知的恐惧需要巨大的勇气，而这对于初次冒险的孩子们来说无疑是一道难以逾越的"高墙"。查理注意到了这一点，它正准备说些什么，多多的脑子却在这一刻清晰起来，先查理一步站了出来，高声安慰大家道——

"大家不要哭，也不要害怕，既然唐晓翼和羽之冒险队来过香巴拉，又安全地离开了这里，我们也一定能做到！而且穆风叔叔不是还给穆雷叔叔寄了照片吗？他也一定平安无事！"

虎鲨也拍了拍胸口，鼓舞士气般对孩子们说道："有本大爷在，大家放心吧，我们可是去过不少比这里更可怕的地方呢！"

多多和虎鲨乐观的发言感染了大家，一个金发男孩走出队伍，鼓起勇气说道："我、我希望，每天临睡前，思考的不是太阳和死亡究竟谁先到来，而是像普通小孩那样，毫无顾忌地迎接明天……既然如此，对每天怀揣着绝望而眠的我们，还有什么值得害怕的呢？大家一起为了活下去而前进吧！"

男孩的话引起一阵共鸣，其他孩子也感同身受地点着头，大家的表情在这一刻变得坚定起来。

穆雷作为孩子们的领队重新振作起来，握紧拳头道："每个人的生命都是有尽头的，我们终有一天会跟这个世界永远地告别，但绝不是现在! 香巴拉奇迹一定是存在的，它正等着我们去发现!"

孩子们布满阴霾的脸渐渐舒展开来，他们的心中重新聚满了力量。

"我们赶紧离开这座诡异的森林吧!"婷婷提醒道，"我想如果我们能找到照片中的那片草原的话，一定就能找到穆风叔叔。"

"只要找到穆风叔叔……很多疑问就能……迎刃而解了……"扶幽赞同地说。

然而就在这时，大家身后响起了一阵窸窸窣窣的诡异声响。

"看来我们想要离开没那么容易啊……"查理突然目光一闪，警惕地俯低了身体。

Question 06
谜题六   Lv.C
难度等级

新的危机
森林出现了什么新危机，让查理觉得离开没那么容易呢?

【正确的解答在61页，快去验证一下吧！】

"天哪，这、这是什么啊？"婷婷惊骇不已地回头。

"是……树叶组成的人？是……人吗？"扶幽难以置信地说。

小伙伴们这才发现，他们身后的森林里不知何时围满了被树叶包裹的人形生物。这些"树人"正一动不动地盯着他们。

"他们该不会是香巴拉的当地居民吧？说不定把树叶包裹在身上是香巴拉的特殊习俗呢？"多多突发奇想地挠着脑袋嘀咕。

"问问不就知道了吗？"只有虎鲨满不在乎地打了个哈欠。

这些浑身布满树叶的人真的是香巴拉的居民吗？查理警惕地盯着树人们的一举一动。

突然，"哗啦"一声，一个树人甩着手臂，一脚高一脚低地向大家走了过来。

答案：
Answer

Question 06 Lv. C
谜题六 难度等级

【怎么样，你答对了吗？后面还有更多谜题等你挑战呢！】

香巴拉的居民

CHARLIE IX & DODOMO

SHAMBHALA
THE END OF THE WORLD

"沙沙——沙沙——"

潜伏的树人们一个接一个朝大家靠近过来，他们的手臂随着扭曲的身体毫无规律地在空中甩动着，身上树叶与树叶间摩擦发出的沙沙声，如同来自地底深渊的呢喃般萦绕在大家的耳边，让人觉得浑身战栗！

那种极不自然的动作让墨多多感到头皮发麻，他忍不住双腿连连后退，战战兢兢地问："他们要、要干什么？"

查理用鼻子嗅了嗅，发现这些树人竟然没有一丝生气，一股极其不祥的预感顿时涌上心头。

树人的突然靠近让大家措手不及，刚刚在绝症孩子们面前发下豪言壮语的虎鲨一脚跨到多多前面，大大咧咧地说："哼，不就是披着树叶的人嘛，有什么好怕的，看本大爷的！"

说着，虎鲨大着胆子朝那些树人走去，问道："嗨，你们好！你们是香巴拉的居民吗？"

没有人理会虎鲨，树人们继续拖着僵尸般的诡异步伐慢慢向大家靠近。

虎鲨显然不喜欢别人对他这么没有礼貌，他捡起一根长树枝，挑衅似的在树人面前晃了晃。但是树人依然无动于衷，回应他的只有树人身上树叶摩擦发出的沙沙声……

虎鲨这下真的生气了，他铆足了劲朝树人冲了过去，飞身跃起向树人使出第十套广播体操的"跳跃运动"！

虎鲨原以为树人会被撞得四脚朝天，可肩头接触到树人的瞬间，虎鲨的表情僵住了，他感觉自己撞的不可能是一个有着血肉之躯的人！那触感……简直就像直接撞在一堵水泥砖墙上！除了几片树叶掉落之外，树人几乎纹丝不动。

虎鲨眼冒金星地跌坐在地，肩头反弹回来的巨大冲击力让虎鲨的肩膀差点脱臼！

但是，树人们丝毫没有停下脚步。这下子小伙伴们都开始着急了！他们几乎是下意识地捡起地上的树枝和石头朝树人扔去。

"啪——"一颗石头准确地砸在树人的脸上，树叶被砸掉

一大块。

"呜哇！"当大家看清楚隐藏在树叶之下的那张脸时，顿时全都惊呆了！

那是一张令人惊骇不已的恐怖脸庞——

暴露在空气中的脸蜡黄而干瘪，肌肉组织的水分仿佛都被蒸发了，一条一条覆盖在骨架上，在树叶的包裹下显得格外诡异，跟刚刚那些挂在树上的龙虾兵的形态竟然如出一辙！

"天哪，这、这不可能！"多多的心脏像敲鼓一样咚咚乱跳，"难道说这些都是死人吗？"

天哪，这是什么情况？

这些人分明已经变成了鞣尸，为何能行动呢？这下子，所有人都清醒地认识到这些树人绝不正常！

树人恐怖的真面目这一刻赤裸裸地呈现在大家面前，连小霸王虎鲨都不由自主地浑身一颤，瞬间手脚并用、连滚带爬地回到小伙伴们中间。

镜头 **⑦ 香巴拉的居民**

　　他一把抓住脸色苍白的墨多多和扶幽,尴尬地解释道:"我倒……倒不是害怕,只是觉得怪恶心的!"

　　"不害怕……我们不害怕,但现在怎么办呢?"婷婷害怕影响其他孩子的情绪强装镇定,但她的声音也不自觉地有点发抖。

　　"我想……咱们应该……逃跑……"扶幽缩着脖子说。

　　多多冷汗淋漓,他吞了吞口水,终于忍不住大喊起来:"快跑啊!"

　　也许是多多的叫声惊扰了树人们,原本步伐缓慢的树人,一瞬间速度变得快了起来……

　　多多来不及跑开两步,一个树人突然从他身后蹿了上来,一个飞扑猛地抱住了他。树人的四肢就如同捕兽夹一样将多多牢牢地钳住了!

　　"快放开多多!"见势不妙,离多多最近的虎鲨鼓起勇气想要冲过去将多多解救出来,可他刚刚靠近,就被身旁的另外两个树人死死地缠住了。

　　这些树人竟然用自己的手臂和身体像蛇一样死死地缠住了虎鲨!

　　人的身体竟然能扭曲成这种畸形的程度!这骇人的一幕再度让所有人脊背发凉。

　　更令人难以置信的是,这些分明已经死去的人,力气却大得出奇,虎鲨奋力挣扎,但憋红了脸都摆脱不了他们的控制,更不用说多多了。

"汪汪！"查理低吠一声，闪电般冲了出来，朝树人的腿部咬去，希望能阻止他们的脚步。然而这些丝毫无济于事，他们拖着多多和虎鲨继续往前走。

很快，大家就被张牙舞爪的树人们团团围住，毫无退路了。树人们跌跌撞撞地冲了上来，将手伸向了手无缚鸡之力的绝症孩子们。

穆雷见状急忙抄起一根树干敲开树人们的手，不让他们伤害孩子们。婷婷、扶幽也硬着头皮捡起树枝反击，但是双方的力量悬殊太大了，胜负片刻之后就揭晓了。

眼看穆雷和孩子们即将被狰狞的树人擒住，空气中好像有什么东西飞快地从树人们身后蹿过。

"哗哗哗——"

受到攻击的树人们扭动着身躯,覆盖全身的树叶纷纷掉落。

原本抓住多多和虎鲨的树人力量顿时减轻了，与此同时，那个低沉而又清晰的声音再次在大家头顶上响起，掷地有声地说了两个字："快逃！"

与此同时，墨多多和虎鲨明显感觉到原本牢牢钳住他们身体的树人此时像一摊烂泥般绵软无力。多多和虎鲨赶紧将树人的手脚从自己身上推开，从瘫软的树人怀里狼狈地挣扎出来。

是什么东西救了他们？是他发出了警告大家的声音吗？多多回头望去，但那个东西的速度太快了，他只能看到一道一闪而过的黑影在树人间移动，那东西似乎神出鬼没，一会儿在左一会儿在右，偶尔还会突然跃出数米……

虽然不知道那个东西究竟是什么，但那绝不是人类拥有的运动姿态! 正是这股未知的力量对树人们的突袭给所有人创造了逃生机会。

"还愣着干什么? 跑啊! "查理将领结的声音调高了好几倍，大声地提醒大家。

一秒钟都不能再耽搁了! 小伙伴们和穆雷急忙搀扶起孩子们，掉转方向没命地跑了起来。查理身形灵活地跑在了最前方，凭借着灵敏的嗅觉和敏锐的观察力给大家带路。

而在他们的身后，那些不知死活的树人们并没有善罢甘休，而是像牵线木偶一样挪动着身体，歪歪扭扭地追了上来。

浓重的不安涌上每个人的心头，谁也没有想到，在这个被称为天堂的香巴拉里，竟然隐藏着这么诡异的未知危险!

Question 07
谜题七

难度等级

争分夺秒

DODO冒险队的速度是7米/秒，树人们应该受到了神秘黑影的影响，一分钟后才开始追赶他们。树人们的速度是10米/秒，你知道树人们过多久能追上DODO冒险队吗?

【正确的解答在79页，快去验证一下吧！】

这片森林实在是太大了！没跑多久，多多就觉得自己的心脏跳得已经超出了负荷，脑袋更是像被充气过头的气球一样，涨得就要炸裂了。

"呼哧——呼哧——"多多的体力已经达到了极限，不但四肢无力，甚至快要呼吸不上来了。

"我实在是……跑不动了！"一旁的婷婷也乏力地停下了脚步。

扶幽累得双手撑地，跪在地上大口大口地喘着气。

一向体力最好的虎鲨也因为背着一个绝症孩子负重前行而累得涨红了脸，不过他尽管累得汗流浃背，却丝毫没有要将背上的孩子放下的意思，还硬撑着催促大家："快、快走啊！你们、你们想被那些树人抓住吃掉吗？"

没人回应虎鲨，多多几个都累成这样，更不要说那些绝症孩子了。

"糟糕！"穆雷忧心忡忡地说，"我们刚到这里，还没适应这里的气压，再加上剧烈的奔跑，大家都要撑不住了！"

不好！多多一回头，毛骨悚然地发现，因为小伙伴们的体力不支，一直穷追不舍的树人们已经近在咫尺了！

树人们的运动姿态毫无平衡感可言，也丝毫没有动物呼吸时所应有的韵律感，让人看得不寒而栗！

那"沙沙沙"的摩擦声，此时听来就如同树人诡异而狰狞的邪恶笑声……

FILE 8
镜头八

gōng jī zhě
隐藏的攻击者

CHARLIE IX & DODOMO
SHAMBHALA
THE END OF THE WORLD

　　小伙伴们一路狂奔，不知不觉间，暗沉沉的森林变亮了不少，周围的树木慢慢变得稀疏起来。光线从树冠的缝隙间洒落进来，在地面上投射下斑驳的光斑，如同暗绿色海洋中闪光的宝石一般炫目。

　　但此时此刻，小伙伴们谁都没有心情欣赏眼前美妙的景致，因为一旦停下来，等待他们的只有死亡！

　　虽然他们都知道自己必须继续逃跑，可是，剧烈的奔跑和陌生环境带来的不适让每一个人都累得气喘吁吁。他们的

身体已经不听指挥了。

情况糟糕透了!

一个树人眼看就要朝落后的婷婷逼近过来。

"婷婷，快跑!"墨多多使出了最后的力气一把拉起婷婷，没命地向前急冲。

他们身后的树人也开始疯狂地甩动双臂追赶而来，婷婷他们只要碰到那疯狂的双臂，一定会立刻失去平衡,摔跟头的!

查理想要冲过去拖住树人的脚步，但来不及了，树人与多多他们之间只差不到一个巴掌的距离了!

千钧一发之际，那个树人突然刹住了脚步。

墨多多和婷婷难以置信地大口大口地喘着粗气，他们的眼睛里充满了疑惑，树人再前进一步就能抓住他们，为什么会突然停住脚步呢?

不管怎么说，这突如其来的变化，让心都提到嗓子眼儿的小伙伴们松了半口气。

并且大家惊喜地发现，不只是这一个，在原本急速奔跑着的树人中，有好几个也都出现了这种情况。

整个树人的追击队伍顷刻间放慢了速度。

他们显然并不是因为疲惫而停下步伐，他们静静地站在那里，身上的树叶仍旧发出沙沙沙的诡异响声。

注意到这一幕的多多突然发现了一个极其不自然的现象，难道说那个东西就是树人们的弱点吗?

树人的弱点

你知道墨多多发现了什么吗?

【正确的解答在79页,快去验证一下吧!】

"是光！"墨多多大喊一声！

所有的小伙伴们都惊讶地看向多多，他和婷婷距离那个树人只有咫尺之遥，但是树人却不敢上前，是因为他们所站的地方正好是几棵树木间的一块大空隙处，一大束光线不偏不倚地射在了他们的身上。

没有一个树人敢走到光线之下，他们似乎在惧怕着什么。

"有救了，这些树人竟然害怕阳光……"穆雷汗流浃背地说，他身边的绝症孩子们也大大地舒了口气。

但大家还来不及休息，远处更多的树人开始聚集过来。尽管这一块地方有不少光线投射下来，但如果数十个树人从四面八方包围过来的话，多多他们仍然无法逃脱！

"我们……我们好像已经靠近森林的边缘了！"扶幽眼睛一亮，有了新的发现。

"快！我们往阳光更多的地方跑！"查理边喊边带头往远处的开阔地带跑。

这一刻，小伙伴们都如同看到了希望之光一般，强打起精神，迈着蹒跚的步子朝不远处的开阔地带逃去。

快些！再快一些！！每一个人都加快了脚步，恨不能长出一对翅膀来。

而树人们似乎发现小伙伴的逃跑路线发生了变化，他们竟然绕开那些斑驳的阳光，再次追击了过来。

能逃脱吗？墨多多压抑不住心中的恐惧回头看去，可就在他回头的那一刹那，身后的一个树人突然毫无征兆地一跃而起,那恐怖的一跃竟然足足跃起了三四米高!

猝不及防地,那树人闪电般落到了多多背上,用铁腕牢牢钳住了多多的咽喉!巨大的冲力使树人和多多一起滚到了数米之远!

这下子完蛋了……多多顿时陷入了绝望!

就在多多万念俱灰的时候,奇迹再度发生了,"嘭"的一声,他背上的树人突然直挺挺地摔在了地上。

紧接着,更为诡异的事发生了,摔倒的树人一动不动地蜷缩着身体,仿佛变成了一尊造型诡异的树雕。

多多再一看四周环境,谢天谢地,原来刚刚树人在抓住自己的同时,因为巨大冲力产生的惯性,他们一起滚到了一大束光线之下。

眼看森林树冠上投射下来的光束越来越多,其他树人都停在了原地,似乎不敢轻易上前了。

"呼,太好了,我差点以为自己活不成了!"多多劫后余生地长舒了口气。

"可是……他们究竟是什么东西?为什么动起来的姿势这么诡异呢?!"婷婷有点心有余悸地指着地上的树人问。

扶幽用百宝箱里的镊子夹起树人身上的一片树叶仔细观察起来,那树叶近看十分美丽,呈现半透明的状态,泛着淡淡的光泽,里面的叶脉看得一清二楚……

扶幽正看得聚精会神,森林中毫无预兆地吹过一阵微风,只见被镊子夹住的树叶在微风的吹拂下,随风抖动起来。

　　然而奇怪的是，微风很快就停了，树叶却仍在不停地抖动，并且越来越剧烈，扶幽顿时瞪大了眼睛！那绝不是一片普通的树叶，而是有生命的东西！

　　"难……难道是……"扶幽诧异地倒吸了一口气。

　　与此同时，多多三人和其他孩子们的脸上却露出了极其恐怖的神情，大伙儿纷纷指向扶幽的身后，说："你、你、你身后是什么？"

　　"嗡！嗡！嗡！"

　　一阵如同汽车启动时马达发出的轰鸣声自扶幽身后响起，似乎有什么东西发出了愤怒的吼叫。

　　他身后出什么事了？扶幽缩了缩脖子，胆战心惊地扭过头——

　　什么？这怎么可能！

　　大家身后那些树人身上的所有树叶全都动了！

　　在一阵令人寒毛直立的摩擦声中，树叶们全都飞了起来，地上只留下一具具瘫软干瘪的鞣尸。

　　这些树叶在空中盘旋着，蜂拥地汇聚在一起，形成了一片墨绿色的浓雾。浓雾越来越大，颜色越来越深，轰鸣声越来越响，似乎在发出某种警告！

　　"妈呀！这些树叶是活的！"多多吓得手脚冰凉，险些瘫软在地。

　　"不！那些不是树叶，可能是某种拟态成树叶的昆虫……"查理震惊地扯着领结对大家说，"那些死去的人之所以能行

动，恐怕就是这些虫子在驱动尸体。”

难怪树人们的动作如此扭曲，原来他们根本不是自己在走，而是这些昆虫在驱动他们。

"这些虫很像蜉蝣，是一种最古老的有翅昆虫……"扶幽惶惶不安地说，"蜉蝣……因为跟我的名字读音接近，平时我没少……研究它们，只是……奇怪的是，你们仔细看……它们的口器很异常，像螯针一般细长锋利，这太不一般了……很可能这种蜉蝣是跟其他昆虫……杂交后的新生物，也可能是……香巴拉独有的变异体，大家小心！"

"螯针？那些树上的鞣尸不会是被这些虫子吸成那样的吧？"最活跃的金发男孩脸都绿了。

他的话让扶幽的手止不住一抖，那只落单的蜉蝣扇着翅膀回到了它的大部队中。

下一秒，虫群"轰"的一下，如同暴风雪一般席卷而来。

婷婷脸色煞白地喃喃："难道……虫子们的下一个目标是我们？"

"那还不快跑！"虎鲨朝所有人大吼道。

但看着这毛骨悚然的场景，那些绝症孩子全都瑟瑟发抖，迈不动半步。

危急关头，查理直立起身体，大声鼓励大家："大家别怕，你们难道没发现吗？真正害怕光线的并不是死去的树人，而是这些拟态成树叶的蜉蝣啊！只要我们跑出这片森林，就能摆脱它们！"

"没错，再走几步就是森林的尽头了，大家不要放弃！"穆雷指着前方的开阔地带说。

"我……我绝不要变成像龙虾兵那样的可怕的尸体……"一个留着马尾辫的女孩，边哭边拖着身边的另一个女孩，抬起了脚步。

其他孩子也凭着求生的意志力，你牵着我，我拽着你，终于提起一口气，再次在查理的带领下跑了起来。

"等一等！"就在大家即将冲出森林的时候，多多突然注意到什么，大叫着阻止道。

只见森林尽头的地上，攀附着许多藤蔓，曲折交错的藤蔓纠缠成一张狰狞的大脸，好像在密密麻麻的藤蔓下面，埋葬着一个巨大的头颅，睁着双眼仰望天空。

大家走近一看才发现这个巨大的头颅其实是一个风干的雕塑。

可是，这也太蹊跷了！这个头颅……竟然跟他们在梦中见到的那个绿皮巨人德里一模一样！那个梦境难道是真实存在的？难道香巴拉跟绿皮巨人有什么关系吗？

"你们看……"扶幽突然指着头颅的嘴，发现了什么似的喊道。

所有人都顺着他手指的方向看过去，只见雕塑裸露在外的牙齿上歪歪斜斜地写着一行狰狞的红字——

Hitherto shalt thou come , but no further !

"英文？"虎鲨歪头打量着树皮，"本大爷一个词也看不懂……"

这上面的英文单词好奇怪啊！别说虎鲨和多多了，身为优等生的婷婷和扶幽也不认识。

只有穆雷在看到那句英文之后，变了脸色，阴沉地说："那上面写的是古英语，我翻译给你们听——"

你们只能到这里，再不能逾越！

答案:
Answer

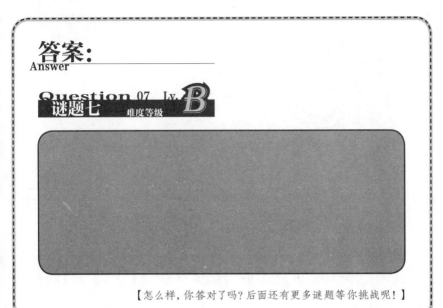

Question 07 Lv. **B**
谜题七　难度等级

【怎么样，你答对了吗？后面还有更多谜题等你挑战呢！】

答案:
Answer

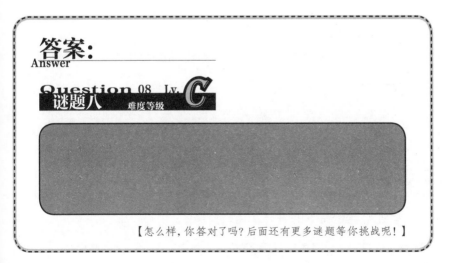

Question 08 Lv. **C**
谜题八　难度等级

【怎么样，你答对了吗？后面还有更多谜题等你挑战呢！】

FILE 9
镜头九

tíng xià jiǎo bù
停下脚步的时间

CHARLIE IX & DODOMO
SHAMBHALA
THE END OF THE WORLD

穆雷告诉大家，森林尽头的头颅雕塑上刻着一句古英语——

你们只能到这里，再不能逾越！

"这句话出自《圣经》，"穆雷若有所思地说，"也许是那些龙虾兵们留下的。"

"这明显像是一句警告啊！"多多摸着鼻子，不安地说，"是不是在警告我们不要离开森林，否则……"

多多的话没说完就咽了下去，他知道现在不是说丧气话的时候，但查理和其他小伙伴们心知肚明：香巴拉是一个前所未见的奇怪地方……绿巨人之梦、仙乐的陷阱、会动的树人、拟态的蜉蝣……谁也说不准前方还有什么更大的危险在等着大家。

"没时间了！还有什么比身后的那些怪物更可怕啊！"虎鲨发出响亮的声音，着急地将大家往前推。

虎鲨说得一点没错，他们身后的虫群丝毫没有停止的意思，转眼即至。

"顾不得那么多了，走！"穆雷咬牙一挥手，带头走出森林。

"汪汪！"查理也示意小伙伴们加快脚步。

所有的人强压着心中的不安，跑出了森林。不管怎么说，就算会有什么危险，也比跟森林里那些可怕的虫群待在一起要好吧。

大家一走出森林，顿时整个世界都亮了起来。

眼前是一大片碧绿的草原，草原上还有数不清的藏羚羊在飞快地奔跑。更让大家欣喜的是，紧紧追逐着他们的虫群真的在森林的边缘停住了，不敢再往前一步。看来，虫群果然像查理猜测的那样因为怕光而不敢离开森林。

这下所有人都放宽了心，徜徉在被光线笼罩的世界里。

温暖的光如碎钻金屑，温柔无比，兜头撒下——

"哇！"每个人不由自主地感叹出声，惊讶得合不拢嘴。

　　映入眼帘的是浪涛般一望无际、连绵起伏的苍翠草原，数不清的淡黄、褐红、深褐色的藏羚羊聚集在一起觅食奔跑、嬉戏打闹，一眼望去，犹如一个世外仙境。

　　最神奇的是，这香巴拉果然如传说中所说，是一个被圣光笼罩的地方！大家抬起头来，天空中并没有明晃晃的太阳，也找不到发光体，光芒似乎是从四面八方照射过来的……仿佛整个天空，不，是整个世界都会发光一般，就像整个香巴拉都被包裹在一个发光体的内部一样！

　　"真美啊！"婷婷感叹道。

　　大家都陶醉地沐浴在光芒之中，更不可思议的是，走在光线之下的他们全都没有影子，就和穆风寄给他们的那张照片上的奇异现象一模一样。

"我懂了……"扶幽若有所思地推断道，"如果光线从各个方向均匀地照射过来的话，就会将本影减淡……让本影几乎显现不出来。医学上的无影灯就是……这个原理……"

不管怎么说，这里显然就是穆风寄来照片中的地方，他们来对地方了！

"哇，这就是传说中的圣光吧！"

突如其来的幸福让绝症孩子们很快从刚才的全速奔跑中缓过劲来，他们贪婪地沐浴在圣光下，张开手臂，舒展身体，静静期待着奇迹的发生。

"圣光！真的是圣光！"

"我、我身上不痛了！"

"天哪，我的胳膊也消肿了……"

"好舒服，好久没有这种轻松的感觉了。"

在圣光的照射下，奇迹竟然发生了——

大家的身体情况正在不断好转！绝症孩子们欢呼着抱在一起，喜极而泣。

"这里一定是真正的香巴拉！在这里，大家再也不用担心疾病和死亡的威胁了！"穆雷喜极而泣，他身后的孩子们认同地频频点头。

"哇！本大爷还没试过圣光浴呢……"虎鲨伸展开四肢，站成一个"大"字。

"我们……也……"

婷婷和扶幽无语地看了虎鲨一眼，也有样学样地舒展开身体。

奇怪，多多疑惑地看向扶幽和婷婷，怎么感觉看他们的动作就像在看被刻意放慢的电影镜头一样，而且婷婷的声音怎么也变得像扶幽一样慢腾腾的了。

"你们……怎么……了……"多多一张口，赫然察觉自己的声音也不知不觉地变慢了，但奇怪的是，他的腿不酸头不晕，和刚才被气压影响的情况完全不一样……

查理警觉地调整着呼吸，提醒道："不对劲，这个地方有问题！"

听了它的话，四个小伙伴都慢慢地、慢慢地转向查理，那副表情似乎在奇怪地说：为什么只有查理没有变成他们这样？可是，他们的嘴张张合合，却说不出一个字。

"多……多……"小伙伴们身后传来一个气息渐弱的声音，是穆雷！

"不好，你们看！"查理转头一看，顿时脸色大变。

出什么事儿了吗？小伙伴们心里急得很，但拼尽全力也只能慢悠悠、慢悠悠地艰难转过头，眼前不可思议的现象立即让大家全都瞪圆了双眼——

如果说他们四个好像变成了电影慢镜头里的滑稽演员，那么站在他们前方不远处的绝症孩子们则完全像被定格了一样。他们有的抬着手，有的踮着脚，全都面露微笑，沉醉于圣光之下，眨眼间，刚刚还活生生的孩子们就如同瓷娃娃一

般凝固了起来，变成了一尊尊一动也不动的僵硬雕塑。

这诡异的一幕看得小伙伴们心底发寒，一个奇怪的念头不约而同在大家心中升起——

在香巴拉，时间真的停止了吗？

此时，穆雷之前说过的话赫然在小伙伴们的耳边响起——

在世界尽头的秘境之地，蕴含着地球上最古老的力量，那力量隐藏着冲破时间枷锁的魔咒，那里东不见日出，西不见日落，没有四季的交替，常年被圣光笼罩、仙乐环绕，是超越生死的神之领域！在那儿，人类的一切恶疾都能被治愈，但一旦离开，魔咒就会破除，奇迹也随之消失。

难道说，时间停止就是在香巴拉能超越生死的原因吗？看着那些雕塑般的孩子们，小伙伴们心中猛地一紧。

可是……思考需要时间，移动需要时间，所以人类在停止流淌的时光中，变成了不能思考、不能移动、不能哭、不能笑、毫无生气的雕塑？

从此无所谓一秒还是一万年，都不再有任何差别，那……活了和死了，又有什么分别？

不要啊，我可不要变成不老不死的雕塑！犹如寒冬腊月被冷水淋了个透湿，多多从头到脚打了个寒战，那句古英语警告，果然生效了！

想到这里，多多拼命挪动身体想要逃离这个地方，可是

他的身体却变得跟石头一样沉重，寸步难移！

　　这下墨多多终于知道刚刚的树人为何在光柱中变得一动不动，而蜉蝣群也不敢冲出森林的原因了……

　　这被圣光照耀着的草原分明就是看似天堂的地狱！

　　多多体内陡然升起一股寒意，仿佛将他的血液和灵魂同时冻住了——

　　难道说，巨人德里那只有头颅的雕塑也是这样形成的吗？

　　这么说，最终大家……所有人都会变成香巴拉的雕塑吗？

Question 09　　　　　　　　　　　　　　　　Lv. **B**

谜题九　　　　　　　　　　　　　　　　　　　难度等级

时间的脚步

人类正常的语速大约是每分钟180字，而多多发现小伙伴们说两个字却用了6秒，以此为判断依据的话，你知道香巴拉的时间比正常时间慢多少吗？

【正确的解答在96页，快去验证一下吧！】

SHAMBHALA THE 7½ OF THE WORLD

CHARLIE IX
& DODOMO
查理九世
第二十三册
香巴拉，世界的尽头

FILE 10
镜头十

^{dì} ^{yù}
看似天堂的地狱

CHARLIE IX & DODOMO

SHAMBHALA
THE END OF THE WORLD

在圣光的照耀下，时间似乎停止了! 除了查理，所有的人都变成了不能动的雕塑!

就在众人无计可施时，原本在远处静静吃草的藏羚羊群仿佛获得了什么感知，居然同时整齐划一地朝他们缓缓走了过来……

如此整齐一致的步伐，小伙伴们只在电视里的阅兵式上看到过，自然界的动物怎么会拥有如此高度协调一致的行动力呢? 若不是亲眼见到，谁都不会相信!

原本羊类给人温驯无害的感觉，但此刻一大群藏羚羊如军队般动作一致地一拥而上，着实给人一种莫名的压迫感。

难道穆风照片上，人和羊群和睦相处的情形是假象吗？

小伙伴们本能地想往后退，但双脚像生了根一样不能移动分毫。

那群藏羚羊好像接受过军事训练一样，动作整齐划一地低下了头，轻轻一拱，将那些变成"雕塑"的孩子们推倒在了柔软的草坪里。不仅如此，它们还用嘴拔起周围一簇簇的青草，盖在这些"雕塑"表情凝固的脸上。

它们这是在做什么？唯一行动自如的查理警觉地跑到一个雕塑孩子身边闻闻他的脸，又把耳朵贴在那个孩子的胸口上听了听，片刻后，它严肃地抬起头："不好，这些变成雕塑的孩子已经没有呼吸了！"

说完，查理紧张地看向多多……

什么？没有呼吸？那么这些变成雕塑的孩子们难道已经……多多的心咚地一跳，只见藏羚羊群齐齐转头看他，原本水灵清澈的双眼里透出一抹不怀好意，朝他们逼近过来。

小伙伴们冷汗涔涔地看着靠近的藏羚羊,一种不好的预感油然而生——这些藏羚羊该不会是来处理尸体的吧?

"汪汪!"查理发出一声响亮的吠叫,跳到多多前方,伏低身体,朝藏羚羊群露出锋利的白牙,想要阻止它们靠近。

对了,对手是羊,查理是狗,自古以来人类不都是用狗来牧羊的吗?也许有胜算!想到这里,多多的心里亮起了一道光,不受圣光影响的查理一定是他们唯一的救星。

"嗷呜——"查理发出狼嚎般的啸声,想先从气势上取胜,让羊群不战而退。

按理来说,羊应该是胆小的群居动物,在受到威胁时,只要有一只羊开始逃跑,其他羊就会受惊,成群逃窜而去,牧羊犬的诞生就是利用了羊天生胆小的特征……

然而在香巴拉,这一常识能适用吗?

只见领头的藏羚羊丝毫不畏惧查理,反而低头弓背,摇晃着脑袋用寒光闪闪的尖角对准了查理,狂躁地蹬着蹄子,迅猛地向查理冲过来。

查理看准时机,敏捷地避开了头羊锋利的尖角,并且以迅雷不及掩耳之势跳到头羊的背部,张开大口,朝头羊的后脖子咬去,希望头羊能因为疼痛而退缩。

谁知头羊不但没有退缩,反而将前蹄狠狠地踏在地上,急停之下,剧烈的颠簸让查理松开了牙,被甩出去好远。

幸好,查理灵巧地一个翻身站住了。但就在查理和头羊缠斗的时候,藏羚羊群已经将小伙伴们团团围住了。

唯一的希望——查理，也帮不上忙了……多多不由得脚底发凉，双眼开始模糊，他很想像每次遭遇危险时的查理那样镇定下来想办法，但现在他不仅无法移动，就连大脑似乎也渐渐变得迟钝。最可怕的是，呼吸系统也受到了影响，吸气呼气变得异常困难……

怎么办？多多艰难地用余光看了其他三个小伙伴一眼，大家的状况同样糟糕极了，脸几乎都憋成了猪肝色。

砰！多多感到自己的腰被轻轻一撞，不由自主地向后仰倒，摔倒在了草丛里，紧接着其他小伙伴也依次被推倒了。

藏羚羊群踱着缓慢的步子，来到他们身边，宣告死刑似的将草盖在了他们的脸上、手上、脚上……

"唔！不要啊！"多多痛苦地蜷缩起身体……

咦，他能动了？多多突然意识到刚才那股束缚他们身体的力量好像消失了，自己可以动弹了！

多多激动地从草缝里朝周围看去，不光是他，小伙伴们、其他孩子还有穆雷也都逐渐恢复了过来，大家贪婪地躺在地上，大口地吸着气！

这是怎么回事？莫非藏羚羊群是想救他们？

多多疑惑地看了藏羚羊群一眼，脑子里乱成一锅粥，到底是怎么回事啊？究竟是什么让大家不能动弹？藏羚羊群叼来的这些草又为何能救他们呢？

"原来如此，藏羚羊应该是在告诉我们在这草原中自如行动的方法……"查理眯了眯眼睛，若有所思地说。

谜题十 　难度等级

地狱圣光

藏羚羊拯救大家的方法是什么呢?

【正确的解答在96页,快去验证一下吧!】

小伙伴们恍然大悟，藏羚羊群和查理不受圣光影响，也许是因为它们身上覆盖着严密的毛发，阻挡了无处不在的圣光。

"大家用草编成斗笠，遮住光吧，"婷婷建议道，"注意皮肤不能暴露在光线下！"

听了她的话，缓过来的孩子们纷纷开始拔草，将草编成简单的草斗笠戴在头上，同时小心翼翼地拉低袖子，拽起袜子，不让一寸皮肤暴露在外。

"没想到传说中天堂里的圣光竟然是致命杀手！香巴拉哪里是天堂，简直是地狱！哼，破地方！"虎鲨一边整理头上的草，一边嘟嘟囔囔地抱怨。

"这些圣光究竟是……怎么产生的？为什么能让人的生命体征……停止？"扶幽皱着眉头问，"我从来没听说过有这种……光。"

看到穆雷面色颓丧地低下头，绝症孩子们几乎是异口同声地说："是我们自己想来香巴拉的，您别再自责了！"

"对！不管怎么说，现在我们不是都没事吗？"多多乐观地说。

"而且，我们已经成功找到穆风叔叔照片上的地方了，接下来只要找到穆风叔叔，就能弄清香巴拉里的奇怪事情了！"婷婷说出了大家的心声。

可是怎样才能找到穆风呢？穆雷焦虑地挠着脑袋，他毫无头绪。香巴拉危险重重，他们现在进退维谷，此刻也只能祈求穆风平安无事了……

这时，周围的藏羚羊仿佛看出了他们的彷徨，一只金黄色的藏羚羊走了过来，温顺地蹭了蹭多多，然后叼住多多的衣服，扯了扯。

"藏羚羊，你想告诉我什么？"多多发现这些看似凶狠的藏羚羊其实对他们并没有敌意，试探着摸了摸藏羚羊的头。

其他的藏羚羊也凑上来，拉扯着孩子们的衣服，似乎在暗示大家跟着它们走。

对了，在穆风的照片上，他能和这些藏羚羊和平相处，说不定它们知道穆风在哪儿！

多多眼睛一亮，征询地看向查理：走不走？

查理朝他点了点头，似乎在说，去看看怎么回事。

大家跟着藏羚羊朝草原的腹地走去，走着走着，明晃晃的天一下子黑了，一股难闻的臭味钻进了多多的鼻子。

墨多多仔细一看，发现查理和周围的小伙伴都不见了，自己被关在一个黑漆漆的巨大房间里，光线昏暗得看不清楚四周，但奇怪的是，多多却能清晰地感受到来自黑暗四周冰冷而诡异的气息——

那气息中充满了恐惧、焦虑、懊悔……甚至死亡！

这是哪儿？难道他又陷入梦境了吗？

就在他心中开始产生一丝怀疑的时候，一滴巨大的水珠重重地滴落在了身边。

多多本能地抬头看去，眼前震撼的画面，大概一辈子都会深深地刻印在他的脑海里——

那是一张巨大的脸，如同建筑的穹顶一般！但是五官因为痛苦、懊悔而扭曲在一起，巨大的泪滴从巨大的眼眶中流出，在如同山丘一般的鼻尖汇集、落下。

墨多多赶紧向身后跑出数十米，躲开巨大泪滴滴落的区域。再次抬头看向巨人，多多认出了巨人，正是德里。

但跟之前梦境中的那张意气风发的脸截然不同的是，此时的德里看起来衰败、苍老，浑身散发着如墓土般腥臭的气味，如山般庞大的身躯蜷缩在地上，颤抖着……

不知为何，多多竟然感受到来自德里身上的巨大哀伤，他的眼泪莫名地夺眶而出……

良久，德里抬起头，缓缓地将手中的什么东西吞了下去，他拭去眼泪，表情平静地坐在地上，仿佛在等待着什么……

突然间，多多感觉到自己心脏如同被什么东西狠狠地捏住了，意识逐渐模糊起来……同时，他看到德里双手捂住胸口，表情痛苦地轰然倒下……

答案:
Answer

Question 09 Lv. **B**
谜题九 难度等级

【怎么样，你答对了吗？后面还有更多谜题等你挑战呢！】

答案:
Answer

Question 10 Lv. **C**
谜题十 难度等级

【怎么样，你答对了吗？后面还有更多谜题等你挑战呢！】

FILE 11
镜头十一

食物链顶端的统治者

tǒng zhì zhě

CHARLIE IX & DODOMO
SHAMBHALA
THE END OF THE WORLD

　　跟飞机进入香巴拉时一样，心脏好痛……

　　墨多多眼前一黑，猛地从梦境中回到现实。

　　环顾周围，他发现其他人也都惊魂未定地捂着胸口，看来他们一定也再次进入了德里的梦境。

　　"好可怕！再次出现了……绿巨人之梦……"那梦境太真实了，婷婷仿佛还沉浸其中，虚脱地说。

　　多多用力抹了把汗，直觉告诉他，巨人德里一定和香巴拉有着某种奇妙的联系。他正准备问问查理对这接连出现的奇

怪梦境的看法，就看到查理眉头紧锁、目不转睛地看着前方——

大家这才发现，周围的景致赫然改变了。碧绿的草原不见了，黑色的泥土裸露在空气中，最恐怖的是，无数灰褐色的长蛇吐着芯子，好似下一秒就将扑过来。

"蛇……蛇……"多多颤抖着嗓音后退。

但奇怪的是，在小伙伴们前面带路的藏羚羊群竟然对那些蜷缩盘旋着的长蛇视若无睹，径直走了过去。

小伙伴们眼睁睁地看着藏羚羊群走进了长蛇的包围圈，然而随着羊群步伐的靠近，那些蛇竟然一动不动。

细看之下，大家这才发现，那些"蛇"竟然是些卷曲的低矮树丛。

不过，多多心中仍有种不舒服的感觉，因为这些树丛看起来总觉得怪怪的，准确地说，它们根本不能称之为树。

因为它们并没有树的主干，只有树根而已……

一般树的树根都是生长在地下的，但这里的树根看起来

诡异极了，简直像从地下往上倒过来生长似的！

而且越往里走，越能嗅到一股似香非香、似臭非臭的怪异辣味——

大家心中不由得涌起了一股不安，藏羚羊们究竟将他们带到了一个什么样的地方呢？

穆风真的在这里吗？大家都伸长了脖子极力朝前方望去。

穆雷更是不由自主地加快了脚步，朝前方大喊："穆风，我是哥哥！你在吗？"

旷野上，穆雷的声音久久回响着，却没有得到任何回应。

"你们有没有觉得……"扶幽指着前方聚集在树根丛中的藏羚羊们，说，"那些藏羚羊们……好像都停住了……"

对啊！为什么前面带路的藏羚羊们突然一动也不动，好像睡着了一样？

多多使劲地揉了揉眼睛，难道真的是自己眼花了？

就在多多忐忑不安的时候，走在前面的穆雷突然停住了脚步。其他孩子也都站住不动了，全都瞪大了眼睛，脸色煞白地看向前方……

发生什么事了？四个小伙伴们急忙挤上前去，然而他们只看了一眼，就被眼前的景象吓得魂不附体，几乎站都站不住了。

树丛中的那些藏羚羊们之所以像睡着了一样站在那里一动不动，并不是它们自己不想动，而是它们压根儿就动不了！

几根足足跟小伙伴们的腰一样粗的树根由下而上紧紧地缠住了藏羚羊们的身体。

盘结着的粗壮树根蠕动起来,一只藏羚羊不堪重负,前脚跪地,紧接着,其他藏羚羊也好像被感染了一样纷纷倒地,浑身抽搐着。

令人毛骨悚然的一幕出现了——

随着树根越缠越紧,这些藏羚羊身上的皮毛扭曲着,渐渐地缩在了一起,仿佛被树根吸取了精华一样。藏羚羊们湿润的眼睛失去了光芒。它们不再挣扎了,任凭身上的树根摆布。

很快,藏羚羊们就像燃烧的纸片一样快速缩小变黑,最后,它们变成了——

鞣尸! 藏羚羊竟然在大家眼前成了一具具鞣尸!

天哪! 小伙伴们的脑中都"嗡"的一下反应了过来,原来这就是之前黑森林里悬挂在树冠上的尸体的真相! 原来,它们、它们全部都是像这些藏羚羊一样,被香巴拉的植物杀死了,变成了供植物生长的肥料!

谁也没想到,在香巴拉,植物竟然会杀人! 在这里,自然界的食物链完全被颠覆了,植物从底端摇身一变,成了站在食物链顶端的统治者!

"我明白了! "联想到之前树冠上的鞣尸,扶幽不由得打了个哆嗦,作呕地说,"随着树苗……渐渐攀长成一排排参天大树,这些鞣尸……就会像果实一样悬挂在……茂密的树冠上,就是我们之前……在森林里看到的那样! "

婷婷脸色苍白地补充:"等这些树苗长成大树之后,就会发出仙乐一般的声音以吸引更多的猎物……"

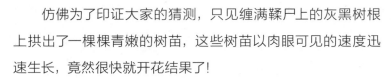
仿佛为了印证大家的猜测，只见缠满鞣尸上的灰黑树根上拱出了一棵棵青嫩的树苗，这些树苗以肉眼可见的速度迅速生长，竟然很快就开花结果了！

"你们快看，那些果实不对劲了！"

"不好，果实越来越大，好像有什么东西要从里面出来了！"

几个孩子尖叫起来。

只见树枝上青绿色的果实开始胀大，表皮越来越薄，像是被吹饱了气的皮球一样高高地鼓了起来，并且四处凹凸不平地蠕动起来，仿佛有什么东西想要冲出来。

孩子们都不由得缩了缩脖子，害怕地互相靠近。

在这个如同地狱一般的"天堂"里，什么可怕的事情都有可能发生！大家心中涌起了浓重的不安，即将从果实里钻出来的会是什么呢？

吸收了藏羚羊尸体养分的植物像一个飞速成长的巨大肿瘤一般越来越大，很快超出了藏羚羊的体积，它们萎缩脱水的身体随着植物果实的生长离地面越来越远。

"噗"的一声，仿佛到了极限的气球被针戳破了一般，一对极其锋利的尖角从被刺破了的果实里钻了出来，紧接着是头、脖子、身体……

一只成年的藏羚羊竟然从已经碎裂的果实中爬了出来！

更让大家不寒而栗的是，这只藏羚羊居然还冲着惊恐的多多咧开嘴，露出了类似人一样诡异的笑容。

"噗！噗！噗！"其他藏羚羊鞣尸旁边的果实也逐一破裂，

尖尖的犄角从内部戳破了那些果实，爬出了一只只成年的藏羚羊，它们满身是黏黏的汁液，瞪着黝黑的眼睛一动不动地盯着多多一行。

我的妈呀！这一幕实在太可怕了！四周的空气仿佛在一瞬冻结成冰，这样的寒意使目睹这一幕的每一个人都浑身发冷，手脚冰凉，好像连自己的存在都感觉不到了。

"太可怕了！"多多按住怦怦直跳的胸口，从牙缝里挤出一句话，"我们还是赶紧跑吧！"

这句话让大家从惊吓中回过神来。对啊，当务之急是赶紧跑啊！

可是，大家刚刚朝后退了一步就动不了了。在他们的身后，两根坚硬的东西死死地抵住了他们的背部。

大家回头一看，才发现另一些藏羚羊不知何时来到了他们身后，它们竖起锋利的犄角，如同一支支长矛对准了小伙伴们的后背，阻止他们离开！

正当大家腹背受敌、一筹莫展的时候，扶幽忽然说："喂……你们有没有……觉得这个藏羚羊群……有点奇怪啊？"

Question 11

谜题十一　　　　　　　　　　难度等级　Lv. B

古怪的藏羚羊群
你知道扶幽为什么这么说吗？

【正确的解答在110页，快去验证一下吧！】

FILE 12
镜头十二

fǎn jī
无力的反击

CHARLIE IX & DODOMO
SHAMBHALA
THE END OF THE WORLD

　　之前救过大家的藏羚羊群竟然摇身一变成了刽子手的帮凶，挡住了大家的逃生之路。

　　情势十分严峻！无论大家朝哪个方向迈步，周围的藏羚羊群都会迅速围拢过来，最终围成一个严密的半圆将他们堵在树根边，用头上的犄角死死抵向他们，阻止他们逃跑！而周围的树根却在蠢蠢欲动，仿佛随时准备上来将大家作为猎物猎杀。

　　一边是吃人的树根，一边是锋利的犄角，整个世界仿佛都恐惧地颤抖起来，孩子们害怕的哭喊声此起彼伏。

"原来这些藏羚羊群之所以救我们，是为了把我们引到这里来当这些植物的养料啊！"穆雷面如死灰地护着孩子们。

更为蹊跷的是……

"你们看，这些新出生的藏羚羊竟然和刚刚变成鞣尸的那些藏羚羊颜色体形都一模一样！"多多的眼睛几乎瞪得不能再大了，难以置信地看着眼前的情形。

这些藏羚羊根本不能说是新出生的，因为它们已经成年了，简直就像是变成鞣尸的藏羚羊的完美复制品！

"难怪藏羚羊群……如此古怪，说不定我们从一开始看到的……所有藏羚羊全部都已经是……变成鞣尸后从重新长出的果实里爬出来的怪物啊……"扶幽慢悠悠地说出了让大家心惊胆战的话。

"它们难道想把我们也变成这样的怪物？"婷婷冷汗直流。

"我想，这些藏羚羊恐怕早就不是动物了，被植物吃掉再生的它们成了植物的傀儡，帮植物到处寻找猎物，说不定……"查理皱着眉猜测道，"我们之前所见的藏羚羊全都是靠这种诡异的方式繁衍后代，才能以如此奇怪的种群结构存活到现在！"

说话间，地上的树根仿佛能听懂大家的话似的，急不可耐地蠕动着朝大家伸过来。

几根树根从背后悄无声息地缠上了多多的小腿，多多感到不妙的时候，已经无法将腿抽回！

扭曲的树根如毒蛇般昂起，眼看就要扎进多多的小腿中！

"救、救命，啊啊啊——"多多吓得魂飞魄散，他可不想

变成挂在树干上的肉干啊！

"可恶！让我来帮你！"虎鲨此时也顾不了那么多，徒手去扯就要刺入多多小腿的几根树根，但是虎鲨的蛮力此刻却毫无用处，几根树根像铁钳般很快也将虎鲨牢牢地缠住！

"怎么办？怎么办？"婷婷焦急地在一旁跺着脚，眼泪都快出来了，却没有半点主意。

"我来……对付它们！"扶幽突然冲了上来，他从背包里取出一个小罐，"看我的！"

他鼓着腮帮子一声大喝，按下阀门，一道炙热的火舌立刻从阀门飞蹿而出，迅速将树根包裹起来！

"嗖！"树根被火舌舔到的部分变得焦黑，像蛇一般快速地缩了回去，在地上不断地挣扎，似乎"痛"得够呛，很快就重新钻回土里不见了。

"嘿！这个真不赖！赶紧给本大爷两瓶！"虎鲨看到有如此克敌制胜的宝贝顿时兴奋了起来。

看来用火烧能管用！扶幽急忙从百宝箱里掏出更多的喷火器分发给大家。所有人都迅速行动起来，将喷火器对准狂暴的树根们。这招果然有效，灼热的高温下，周围的树根都卷曲起来，不甘心地收缩回去。

火光闪烁，黑色的树根也都不由自主地朝后蠕动、退缩。多多和虎鲨总算顺利挣脱了出来。

然而危机并没有彻底解除，尽管树根们暂时不敢靠近，但它们却不断地敲击着泥土，仿佛在请求增援一样，而外围

的羊群也并未因此散去。

随着树根们拍打着地面，越来越多的树根响应般地拱破泥土，从地下冒出来，如同黑色潮水般朝这边涌了过来。它们蠕动着发出"沙沙"的轻响，蛇一样高高立起，整齐地左右摇晃，似乎在等待时机一拥而上。

"滚开！你们这些恶心的家伙！"虎鲨大吼一声，双手齐发，朝又一次拥过来的植物按下了喷火器的按钮。这一次，却没有半点火焰喷出来。

"怎么回事？喷火器坏了吗？"虎鲨着急地看向扶幽。

"植物太多了……这原本是野餐用的备用燃料丁烷罐，我改装之后，火力虽然大了很多，但是能持续的时间就很短了……"扶幽脸色发白地说。

如扶幽所说，尽管小伙伴们取得了一时的优势，但很快大家手中的喷火器燃料就耗尽了。

而树根们的攻击似乎才刚刚开始！它们像黑色的蛇一样

快速地蠕动着，一拨一拨，蜂拥而至，将大家死死地围堵住。

所有人背靠背地站成一圈，已经退无可退了。

眼看所有人都要变成树根们的猎物，穆雷突然上前一步，十分坚定地说："我不能让大家死在这里，这次的事情我负有很大的责任。一会儿我去引开这些树根，你们能跑多远就跑多远，听见了吗？"

"不行，我们不能抛下你一个……"小伙伴们立刻明白了，穆雷是想牺牲他自己。

"听我的，"穆雷不容置疑地说，"不管怎么说，我是这里唯一的大人，我的体力是最有可能从树根的包围中活下来的，我给你们争取时间！你们一定要想办法从这里逃出去！"

说完，他用小刀划破自己的手指，在嘴里猛嘬了几口，狠狠地朝树根喷出一口血沫，顿时，周围的树根就像嗅到了血腥味的蚂蟥一样，朝着穆雷蜂拥而上！

穆雷也视死如归地冲向了跟孩子们相反方向的树根丛中，树根缠住了穆雷的双脚，但穆雷没有停下，他继续挣扎着艰难地朝前迈进，转眼间，就被无数树根包围了起来……

关键时刻，一个黑影突然闯了进来，挡在了穆雷的前方。与此同时，大家只觉得有股浓重的怪味扑鼻而来。

奇迹发生了！那些蜂拥而至的树根刚刚碰到那个黑影就仿佛遇到了克星一般，纷纷后退，一动也不敢动了。

黑影转过身来，尽管他下巴上胡子拉碴，头发乱得像鸟窝，多多他们一看却立刻就喊救星来了，穆雷更是兴奋地扑了上去。

救星的身份

黑影转过身来,多多他们一看
却立刻就喊救星来了,穆雷更是
兴奋地扑了上去,为什么?

【正确的解答在110页,快去验证一下吧!】

答案:
Answer

【怎么样,你答对了吗?后面还有更多谜题等你挑战呢!】

答案:
Answer

【怎么样,你答对了吗?后面还有更多谜题等你挑战呢!】

SHAMBHALA THE END OF THE WORLD
第二十三册
香巴拉，世界的尽头

FILE 13

镜头十三

qí   jì   de   chóng féng
奇迹的重逢

CHARLIE IX & DODOMO

SHAMBHALA
THE END OF THE WORLD

"穆风! 我终于找到你了! "

"哥哥! "

重逢的兄弟二人激动地拥抱在一起。

"穆风叔叔，你还活着真是太好了……"绝症孩子们更是喜极而泣，迫不及待地扑向了紧紧抱在一起的穆雷兄弟，大家又哭又笑地簇拥在一起。

小伙伴们也相视而笑，穆风的出现等于告诉大家香巴拉的奇迹是存在的! 他们来对了地方! 一路同行的绝症孩子们有

救了!

原本危机四伏的事态瞬间就改变了——

随着穆风的出现，可怕的黑树根就像被点了穴道似的，停止蠕动，安静了下来。而那些藏羚羊们也慢慢地后退，并曲起身体，低下头，仿佛虔诚的朝圣者一般。

树根和藏羚羊竟然让出了一条道。

太不可思议了，这里的树根和藏羚羊似乎都惧怕穆风!

"大家不要怕! 跟我来! "穆风站起来，对大家挥着手，说，"千万别掉队! "

"走! "穆雷连忙搀扶起绝症孩子们，小伙伴们也都你牵着我，我拉着你，跟了上去。

穆风一步步稳稳地前进，周围的树根就像自然界的普通植物一样变得一动不动，而那些脾气暴虐的藏羚羊也始终匍匐着身体，敬畏地目送小伙伴们和穆风走远。

不过，不知道是不是因为太久没有好好洗澡了，穆风身上的怪味实在是太熏人了。这可苦了嗅觉最灵敏的查理，它不得不皱着眉头落在队伍的最后面。盯着这条离奇的通路，查理觉得穆风身上一定隐藏着什么巨大的秘密……

在穆风的带领下，大家畅通无阻地从危险重重的树根丛中顺利脱身。

一见安全了，早就憋了一肚子疑问的孩子们忍不住围着穆风问东问西。

问题多多首当其冲，连连发问："穆风叔叔，这里真的是

你信中说的香巴拉吗？为什么这里的一切都和传说中的完全不同？我觉得这里根本不像是什么世外桃源，更不是什么天堂，反而像是可怕的地狱！"

"就是！传说都是骗人的，这里遍地都是死亡陷阱和食人怪！"虎鲨不高兴地皱眉，"本大爷差点就被那些树根吃了！"

"是啊，穆风，这里真的可以让这些绝症孩子们痊愈吗？"穆雷也忍不住问道，他最害怕的就是让这些他早已视为亲人的绝症孤儿们失望。

"香巴拉的传说绝对是真的！不然，早就该死去的我，现在怎么可能还健康地站在你们面前呢？"穆风笑了笑，不疾不徐地回答道。

说到这里，他转向 DODO 冒险队，说："你们也是破谜小队吧？我想你们一定听过这样一句话——'最美丽的风景往往也伴随着致命的危险'。而破谜者就是要克服重重的危险，才能欣赏到最美丽的风景，这是中途就放弃的人永远都无法看到的。虽然香巴拉危险重重，但大家已穿越了最危险的地方，香巴拉的奇迹已经近在眼前了！"

小伙伴们点点头，对穆风的话十分赞同。**遇到危险和困难不轻易放弃正是破谜者的必修课。其实，所谓勇敢，并非不会恐惧，而是尽管恐惧，仍能有所行动、向前迈进……**

"这么说，传说中香巴拉隐藏着地球上最神秘古老的力量是真的喽？"多多好奇地问。

"当然，"穆风微微一笑，摸了摸多多的头说，"你们来的

路上应该也看到森林里的龙虾兵了吧？他们拼上性命苦苦寻找的古老力量就存在于香巴拉的腹地之中！等你们见到了就会明白，那恐怕是世界上硕果仅存的奇迹！"

穆风的话让所有的孩子都重新燃起了希望，他们的眼睛闪闪发亮，心中也涌起了新的憧憬和好奇。

"弟弟啊，你真了不起啊！拖着这样虚弱的身体竟然能超越那些身经百战的士兵，成功找到香巴拉的奇迹……"穆雷欣喜地抹着眼泪。

"对啊！穆风叔叔，这里的动物和植物好像都很怕你，你看起来威风极了，一定有什么克制它们的办法吧？能教教我们吗？"虎鲨从穆雷身后探出脑袋，扯着大嗓门问道。

穆风却摇了摇头，说："不，我并没有什么特殊办法，我之所以能穿越险象环生的森林和草原，其实……全都依靠香巴拉守护神的庇佑。"

"神？莫非我们听到的那个神秘声音就是神的声音？就是他在森林里救了我们吗？"多多顿时想起那个多次提醒大家的声音，激动地问，"香巴拉的守护神长什么样子啊？"

"嗯，"穆风似乎无意直接回答，只是别有深意地笑着点点头，"我想你们很快就能见到了。"

"真的吗？什么时候啊？"多多迫不及待地问。

"这个嘛，你们先抬头看看……"说到这里，穆风突然停住了，神秘兮兮地用手指了指天空。

大家急忙抬起头，顺着穆风的手指往上瞧。只见他们的上空，竟然悬浮着一个如操场般巨大的圆球形石块。那上面似乎生长着某些藤蔓类植物，它们垂下长长细细的枝条，猛地一看就像是一个巨型气球一样。

这究竟是什么原理啊？这块巨大的石头似乎完全无视物理法则，就这样静止地悬浮在半空之中。

更令多多在意的是，他从圆球物体的底部再次看到他曾经在梦境中看到过的那种古朴粗犷却有流光溢彩的能量暗暗涌动着的景象……

这绝不是现代科技的产物！

"我的天！"大家全都惊讶得合不拢嘴，简直不敢相信自己的眼睛。

"香巴拉果然无奇不有，竟然还有不需要依靠任何支撑物就可以悬浮在空中的物体！"婷婷惊叹道。

"真是……太神奇了！这是怎么做到的……$\rho = m/V$……

F=Vg……"扶幽一边念叨着乱七八糟的物理公式，一边手忙脚乱地翻着百宝箱，找出一次性成像照相机将这奇景拍下来。

虎鲨趁机跳到扶幽的取景框里，比了个剪刀手。

"这是什么地方啊？我们要上去吗？"多多不安地问。

"对，这块巨石就是香巴拉的核心，也是香巴拉的守护神居住的地方，香巴拉的一切秘密都藏在其中，与其让我一一回答，不如大家跟我一起亲眼见证吧！"穆风神秘兮兮地说。

穆雷却忧心地看着穆风："孩子们可爬不上这些藤条。"

"对啊，我们怎么上去啊？"虎鲨手搭凉棚向上看，心想，即使是他这个攀岩高手，这高度恐怕爬到一半也没力气了吧。

"我自有办法，"穆风对大家眨眨眼，胸有成竹地走向那些垂下的藤蔓，就见藤蔓卷曲着将他包裹起来。

"哇，小心！"婷婷心有余悸地大叫起来，香巴拉的植物可是会吃人的植物啊！

"没关系，这些藤蔓是安全的！"穆风神态自若地拉了拉藤蔓，藤蔓就像有生命般蠕动收缩着将他慢慢往上拉，"大家记住，用双手握紧藤蔓，绷紧身体，藤蔓们自然会带你们上去。"

"哇，这东西有趣！"虎鲨紧随其后，站到藤蔓前，伸手用力地扯了又扯，"这藤蔓挺结实的，大家放心吧！"

"哇，好像长发公主一样啊！"婷婷仰头惊叹。

有了穆风和虎鲨的身先士卒，多多、婷婷和扶幽也摩拳擦掌，跃跃欲试，很快连查理在内所有冒险队的小伙伴们全都登上了巨石。

FILE 13

镜头 ⑬ 奇迹的重逢

"藤条经过我们 DODO 冒险队测试，百分百安全，大家快上来吧！"多多朝下面的孩子大声喊道。

底下的孩子在多多的鼓舞下也鼓起勇气一个一个走向藤蔓，登上圆形巨石。

爬上悬浮的巨石，大家近距离一看，这才惊讶地发现真正让人不可思议的地方——

巨石上面，是一个半圆形的建筑，就像一个隆起的山包。建筑表面由一种材质不明的方砖堆砌而成，但跟一般建筑不同的是，方砖和方砖之间留有一些距离，并没有严丝合缝地粘连在一块。

小伙伴们好奇地打量着这些从未见过的方砖，细看之下，发现它们竟然也是悬浮在表面的。

扶幽好奇地用手轻轻碰了中间的某一块方砖，就发现周围的方砖随之浮动起来，如同水面漾起了涟漪一般，这简直是太不可思议了！

"你们看，"查理绕了一圈，"这里东南西北四面各竖着一块碑……"

"难道说……这东西是一个巨形墓冢吗？"多多震惊地说，其他孩子也交头接耳地窃窃私语起来。

穆风似乎看出了大家在想些什么，轻笑着说："不，与其说这是一个墓冢，不如说这是神留给世人的一道巨大谜题……"

猜猜体重

穆风告诉大家，垂下的藤蔓有粗有细，其中细的藤蔓只能承受不超过30千克的重量，而粗的才可以承受30千克以上的重量。所以大家要根据自己的体重来选择藤蔓。当小伙伴们问到最后四个绝症孩子时，他们调皮地表示他们两两相加的体重分别为：62，59，64，57，66（千克），这其中有两个人没有相加过。小伙伴们算一算，他们的体重各是多少？

【正确的解答在119页，快去验证一下吧！】

答案：
Answer

Question 13 Lv. A
谜题十三 难度等级

【怎么样，你答对了吗？后面还有更多谜题等你挑战呢！】

FILE 14
镜头十四

shī luò de diàn táng
失落的殿堂

CHARLIE IX & DODOMO
SHAMBHALA
THE END OF THE WORLD

神的谜题？

一听到谜题两个字，虎鲨就开始头疼了，他拿出背包里的薯片分给周围的孩子们，说："来，我们休息一下，补充点能量，破谜就交给本大爷的手下吧！"

虎鲨说着指了指他的三个小伙伴。

不负众望，多多、扶幽和婷婷果然已经聚精会神盯着那些墓碑看了……

和只立着一块墓碑的普通坟墓不同，这座位于悬空巨石正中的墓冢在它四周围东南西北的每一个方向都立着一块墓碑，每一块墓碑上都写着一些文字。

"又是古英语。"有了上次的经验，婷婷一眼就辨认出来。

"好像是首诗歌！"穆雷将墓碑上的文字一一解读出来：

这里记载着过去、现在、未来，

湮灭的时代禁锢了巨人的心脏，

冰封的大地埋葬了逃避者们的肉体，

循迹而来的你们即将迎接命运的挑战——

一线贯通所有的一切，

始于何处，终于何处。

"穆风叔叔，这诗歌是什么意思啊？"多多歪着脑袋看向穆风。

"要进入神的领域，首先要通过神的考验，解开墓碑上的谜题，你们作为破谜者小队一定想自己思考答案吧？"穆风双手抱胸，退到一边，似乎不打算给大家任何提示。

"我们可是要挑战浮空城的 DODO 冒险队呢，怎么可以输在这种地方！"穆风的话激起了多多的气势，他用力握着拳头大声对伙伴们说。

婷婷和扶幽点点头，决定靠自己的力量解开神的谜题。

首先吸引大家注意力的就是诗歌中所提到的"巨人的心脏"。提到巨人，大家互相交换着疑惑的眼神，不约而同地想起了那身临其境一般的怪梦中出现的绿皮巨人——德里。

"莫非……世界上真的有巨人？"多多困惑地摸着鼻子。

"说到巨人族，我曾经看过电视上播放的科教片，"婷婷托着下巴回忆着，"世界各地的考古学家和生物学家，曾经在几亿年前形成的岩石层中发现类似人类的巨大脚印化石，还有与最古老的三叶虫一起经过几亿年时间流逝，留存下来的像穿着鞋的人类踩出来的脚印化石。如果这些脚印真的是人类留下来的，那说明三亿多年前就有人类存在了……可是近代科学研究表明，人是由类人猿进化而来的，整个人类的历史不过几百万年。"

"也许……几亿年前原本存在着……文明程度高度发达的巨型人类，后来不知什么原因他们消失了，再之后……到三百万年前才出现了……现在的人类？"扶幽接着婷婷的话推测道。

"汪！其实，关于世界上是不是真的有巨人，学术界也存在着争议，"查理跳到大家的中间，侃侃而谈，"不过如果我们假设身形高大的巨人族曾经存在，科学家们对许多考古证据的解释就容易很多，比如南美纳斯卡地区的巨型绘画、复活节岛的巨型人像、英国的巨石阵等遗迹的形成之谜也就不会那么令人费解了。不仅如此，世界上很多民族的神话中都存在巨人族，比如希腊神话中的泰坦。神话来源于生活，说不定的确有着一些现实的依据……"

"对，也许几亿年前，香巴拉就生存着巨人族……我记得在书上看到过，美国的拉什莫尔山也会把美国的前总统头像雕刻在山上，也许德里曾经为香巴拉做出过很大的贡献，是一个很受人尊敬的人，所以香巴拉才会有德里头颅的雕塑吧！"婷婷点头赞同。

"不过，诗歌中既然提到了'湮灭的时代'，我觉得就算绿皮巨人曾经在香巴拉居住过，应该也是很久很久以前的事情了。也许，他们创造的文明早就消逝了……"多多有些遗憾地说。

"汪！那些都只是序言而已，你们没注意到真正的谜题其实是最后一句吗？"查理用毛茸茸的爪子指着墓碑上的图形说，"你们看，坟墓上除了文字，其实还有花纹，而且四个墓碑的花纹看似相同却又各不相同。'一线贯通所有的一切，始于何处，终于何处。'我觉得这句话很可能是让我们用一根线将四个墓碑全部连接起来。"

查理有理有据的分析点醒了多多，他恍然大悟般大叫："这些花纹不是无规律的，而像是一个迷宫的图形。"

【正确的解答在128页，快去验证一下吧！】

Question 14
谜题十四

难度等级 Lv.B

贯穿始终的线

每个墓碑上的迷宫图案都有入口和出口，A墓碑上图案的出口和B墓碑上图案的入口重叠，B墓碑上图案的出口和C墓碑上图案的入口重叠，以此类推……最后D墓碑图案的出口和A墓碑图案的入口重叠。扶幽用一次性成像相机将四个图案拍摄下来，形成左图，你找到那根贯穿始终的线了吗？

　　"轰"的一声，石块交错开裂，圆形坟墓上面的方砖如同有生命一般，朝着四周散开，露出中间一个黑黢黢的空洞。一道光束从墓碑上的那个空洞射出，光束呈橙黄色，而四周散射着七彩的光芒，给人一种温暖且圣洁的感觉。

　　穆风的脸上露出了赞许的笑容。看来小伙伴们出色地破解了石碑上的谜题。

　　"啪啪啪——"其他孩子们见证了DODO冒险队的实力，不由得在一旁鼓起掌来，眼睛里全都冒着崇拜的"小星星"。

　　"呵呵，你们真聪明！"穆风伸展了手脚，冲大家眨了眨眼睛说，"下面，我们就要正式进入神的领域了，你们千万不要眨眼哦！"

　　穆风说完当着所有人的面缓步踏入光束，就见他竟然在没有任何支撑的情况下凭空地悬浮在光束之中。

　　大伙儿还来不及惊呼，下一秒，穆风的身体就好像被什么东西吸住了一样，"咻"地从坟墓上方消失了！

　　"我的天，他消失了！"

　　所有小伙伴们都惊呆了，争先恐后地进入光束之中，亲

身体验那种只有在电视里才能看到的未来科技！

毫无疑问，墨多多是第一个进入光束中的，他沐浴在光束中有一种说不出的畅快，就像在潜水，但不同的是，身体却感觉不到水压和阻力。

突然，一股吸力从脚底传来，墨多多向着光束传过来的方向急速移动，这种感觉简直像是在坐过山车。多多只觉得有一股看不见的力像拉拽货物一样拖着自己不断地下滑、转圈，可奇怪的是，他竟然感觉不到那种因突然加速而带来的身体不适。

数秒后，多多眼前原本急速运动的画面静止了，他轻盈地落在地面，随着围绕身体的光束消失，墨多多渐渐感觉到地心引力再次作用在他的身体上。

他的身后，婷婷、扶幽、虎鲨、穆雷和那些绝症孩子们都陆续被传送了下来。他们相互交换着难以置信但又异常兴

奋的眼神!

眼前是一个巨大无比的宫殿! 和这座巨大的宫殿相比, 他们显得渺小极了。

"你们有没有觉得,"多多一边环顾左右, 一边皱着眉说, "这个殿堂大得有些离谱了? 我觉得, 这里简直可以装下几十个育林小学! "

三个小伙伴们都赞同地点了点头。殿堂不但高得几乎看不见顶, 而且在他们周围出现的建筑物形状也都非常的古怪, 至少有七八层楼那么高。和这些建筑物比起来, 他们简直就像是毫不起眼的小老鼠。

"我也觉得, 这些建筑不像是人类的作品, 建造这么大的建筑, 需要花费的人力物力无法估量, 而且它们和我们以前见过的任何一种建筑都不一样。"婷婷秀气的眉毛拧到了一起, 充满困惑地说, "我从来没有见过这么奇怪的建筑。"

"你们发现了吗……这里的一切都会发光……"扶幽慢悠悠地补充了一句。

真的! 在扶幽的提醒下, 大家都注意到了, 整个殿堂里根本没有看到任何灯火, 但是却十分亮堂。这是因为这里所有的建筑, 甚至连殿堂本身都散发出了柔和的光芒。而且这种光芒很不一样, 正是他们曾经在梦境中看到过的那种古朴粗犷却有流光溢彩的能量在建筑之中暗暗地涌动所发出的光芒。

这座巨型殿堂丝毫不逊色于世界闻名的八大奇迹, 不! 应该说更胜一筹。在这接二连三的奇迹面前, 连喜欢板着扑

克脸装酷的查理都惊呆了。

　　不过，多多摸了摸鼻子，总觉得有什么很重要的地方想不起来了。越仔细观察这座殿堂，那种熟悉的感觉越是强烈，就好像他曾经在哪里见到过同样的景象……

　　"啊，我想起来了！"多多突然激动地转过身，对着三个小伙伴们说，"这个殿堂我们曾经见到过，这是刚进入香巴拉的时候，绿皮巨人德里发表演讲的那个殿堂！"

答案：
Answer

Question 14 Lv. B
谜题十四 难度等级

【怎么样，你答对了吗？后面还有更多谜题等你挑战呢！】

FILE 15
镜头十五

shén zhī lǐng yù
神之领域

CHARLIE IX & DODOMO
SHAMBHALA
THE END OF THE WORLD

这个殿堂果然是巨人族的建筑吗？

"关于史前的巨人族，有这样一种传说，"查理环顾四周，若有所思地说，"巨人族曾经因为发现了隐藏在植物中的生物能而创造了了不起的文明。虽然我还不知道这座宫殿究竟是如何在历史长河中被保存下来的，但如果它真的是巨人族的作品，维系它的能量和人类的建筑应该截然不同，也许香巴拉的这些奇怪植物所产生的生物能是维系它保存到现在的关键。"

"原来是这样啊！真没想到，香巴拉竟然是保存了了不起

的史前文明的地方。"查理的猜想让多多由衷地赞叹起来。

难道香巴拉的守护神就是他们在梦中见到的巨人？居住在这个巨大无比的宫殿里的香巴拉守护神，究竟会是什么样子的呢？

一个又一个好奇的想法在大家的脑海中浮现，每个人都迫不及待地想要见到传说中的神。

看到大家都已经恢复了力气，穆风挥了挥手，笑眯眯地说："跟我来，我带你们去见这里的神！"

大家都怀揣着忐忑不安的心情，跟上了穆风的脚步。

只见大家脚下巨大的基石砖块，竟然随着来访者的体形而改变了造型和排列，变得和普通砖块差不多大小。砖块与砖块之间的缝隙，依旧不时有流光溢彩的炫目光线闪过。

墨多多看着脚下的变化入了迷，居然走着走着忘了迈步子，双脚一交叉顿时失去重心地扑向地面，眼看就要摔个嘴啃泥了。

就在这时，一只温暖宽厚的大手从黑暗中凭空出现，稳稳地接住了多多。

"谢谢……"多多正想道谢，却突然发现那双接住他的手竟然是从空气中凭空伸出来的，他吓了一跳，大叫道，"妈呀，这、这是谁的手啊？"

孩子们盯着那只悬浮在空中的手，不由得寒毛直立。

多多急忙像弹簧一般立正站好，又后怕地往后退了两步，再一看，那只手又在大家眼前凭空消失了。

一个低沉而又有力的声音在他们头顶上方的空中响了起来——

勇敢的少年们，欢迎你们来到神的领域！

这声音异常耳熟，多多突然想到了什么，兴奋地叫了起来："果然是你！你就是那个发出'神秘声音'的神！"

"对对对！"经多多这么一说，大家都想起来了。之前在树林里，几次帮助他们的神秘声音和神的声音一模一样，看来他们也像穆风一样，在关键时刻得到了守护神的庇护，才躲过了一次次的劫难。

不过，神到底在哪里呢？大家眼珠子乱转，巴不得早一点看到这个了不起的守护神。

"快看，他在那里！"婷婷突然眼睛一亮，指向前方提醒大家。

大家急忙朝婷婷手指的方向看去，没想到出现在那里的并不是想象中的巨人，而是一个皮肤黝黑、个子高大的普通成年男子。

他长着宽额头、高颧骨、高鼻梁、大鼻孔，虽然穿着一身朴素的粗布斗篷，但整个人看起来威严而又神圣。

"穆风叔叔,他就是你说的守护神吗？"多多不敢确信地问。

只见穆风带着无比的崇敬，重重地点了点头。

没想到传说中的神竟然如此普通，大家的眼中都难掩失望，只是不好意思说出口。

"如果你真的是神，那么你一定有什么了不起的能力吧？"这个时候，大大咧咧的虎鲨开门见山地问出了大家的疑惑，"刚才那只凭空出现的手难道就是你显示的神迹？能不能再给我们展示一下？"

"呵呵，我是不是神，由你们自己判断,"神朝大家微微一笑，说，"不过，我可以满足你们的好奇心。"

说完，神慢慢地抬起了右手，仿佛抓住了空中什么看不见的东西似的，然后，不可思议的事情出现了，神的右手竟然一点一点地凭空消失了。

"哇！"不光孩子们，就连穆雷也被吸引住了，惊奇地看着这不可思议的一幕。

然而，谁也没有注意到，多多脚下的查理却皱起了眉头，将目光投向了另外一个方向，陷入了深思之中。

在大家的惊叹声中，神的右手又一点点地凭空出现了。看到这一幕，所有人都拼命地鼓起掌来，看向神的眼神也像穆风那样充满了崇敬。

"好了! 为了欢迎你们这些小勇士来到神的殿堂，我会满足你们最强烈的愿望。"神一边说，一边往旁边让了让，"这是整个香巴拉最最宝贵的财富，靠近它你们就能感受到那股神秘而又古老的神圣力量! "

神的身后是一个金光闪闪的圆形水池，这个水池显然是整个殿堂中最亮的地方，里面的水清澈甘洌，而且还不断地朝外释放着柔和的光芒，简直就像是童话故事里的圣水一样!

"难道说……"穆雷看了看穆风，又看了看身边的绝症孩子们，满怀希望又不敢确信地问，"穆风，这就是你说的香巴拉的奇迹? 就是、就是能让这些孩子们痊愈的奇迹? "

穆风的眼睛一直温柔地盯着水池里的圣水，就像一个孩子看向自己的母亲一般流露出浓浓的爱意。他低下头，恭敬地说:"没错，是圣水赐予我即将腐朽的身躯新的生命……"

"孩子们，接受神的指引吧! 用池中圣水沐浴，你们的身体也将永生不朽……"神用充满蛊惑性的声音说。

自从进入香巴拉之后，孩子们一直在危险和逃命之中度过，早就已经疲惫不堪了。此刻在神温柔的注视之下，孩子们觉得身心全都放松下来，他们舔着干涩的嘴唇，双眼直勾勾地看着水池中纯净的圣水，心中忍不住涌出了一个迫切的愿

望：好想跳进去，浸泡在其中，将身上的每一个毛孔都张开，让圣水彻底地洗净他们躯体中的病毒和污渍，重获新生！

查理动了动鼻子，总觉得有什么地方不对劲，自从进入这个神的领域，它的内心就萦绕着一股强烈的危机意识，也许是因为它始终不敢相信"永生"这个人类的终极梦想是这么容易就实现的……

但是冒险队的小伙伴们此时也都眼巴巴地看着拥向水池的绝症孩子们，一副跃跃欲试的模样。

"既然是香巴拉的奇迹，那不如我们也去洗一洗吧？"虎鲨的眼中也流露出了渴望的光芒，"不然，离开这里可就再也没有这种好事了。"

金光闪闪的水池仿佛吸铁石一样，充满着致命的魔力，四个小伙伴们的眼睛就像着了魔一样，被牢牢地吸引住，再也移不开了。

哇！小伙伴们都忍不住了，他们呼啦一下也加入了绝症孩子们的队伍，纷纷围到了圣水池旁。

"汪！"这时，跟随着大家来到水池旁的查理突然发现了什么似的，低声吠叫起来，急切地出声制止大家，"大家不要急，这池圣水有点不对劲！"

Question 15

谜题十五

难度等级

Lv.

不对劲的圣水

你知道查理为什么这么说吗？

【正确的解答在136页,快去验证一下吧!】

查理的发现顿时让险些失去理智的小伙伴们瞬间清醒了过来，来香巴拉之后的遭遇历历在目，香巴拉植物的危险早已让大家心有余悸，进入这圣水池真的安全吗？

"哇……我的百宝箱……"就在这时，扶幽因为被身旁快速后退的绝症孩子们一挤，重重地跌向了水池，虽然他及时抓住水池的边缘没有掉下去，但他视为宝贝的百宝箱却滑落水池。

"咕嘟——咕嘟——"惊人的一幕上演了！就在百宝箱跌落水池的那一刻，水池里就像烧滚了的开水一样，翻动起了一串串巨大的气泡。百宝箱像煮饺子一样在气泡中上下翻滚了两三次后，竟然融化得一点儿都不剩了。

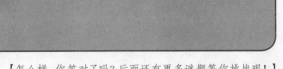

FILE 16

镜头十六

xiāng bā lā

香巴拉的真相

CHARLIE IX & DODOMO

SHAMBHALA
THE END OF THE WORLD

天哪！太可怕了，没想到水池里的圣水竟然有这么大的破坏力！

孩子们的兴奋之情一下子就烟消云散了，大家的脸色都"唰"地变得惨白。谁也没想到，池中圣水竟然像硫酸般可怕！

"我的妈呀！这是什么鬼水池啊……"虎鲨瞪大了双眼，首先从惊吓中缓过神来，难以置信地说。

"这个水池看来具有极强的腐蚀性，百宝箱掉进去不一会儿就融化殆尽，要是人泡在水里，后果不堪设想！"婷婷脸色苍白地说。

"万幸我的百宝箱……救了大家的命……"扶幽不舍地看着水池。

"要是我们接受这个所谓圣水的洗礼，岂不是会被融化得连骨头渣渣都不剩？"多多心有余悸地看着这一幕，随即将目光转向神，警惕而又不死心地说，"这东西不可能是圣水！为什么要骗我们？你到底是谁？"

穆雷也惊愕万分地将目光转向穆风，焦急地问："穆风，这到底是怎么回事儿？是不是什么地方搞错了？"

然而穆风却只是直勾勾地看着圣水池，丝毫没有理会穆雷的问题。

"我看问题一定出在这个神身上。"虎鲨突然攥起拳头，朝神击去。可出人意料的是，他的拳头竟然径直穿过了神的身体。

神的嘴角露出得意的笑容，身形一晃从大家眼前消失了。

"快看，他在那里！"婷婷指向另一边，只见神几乎是在消失的同时，在距离大家足足几百米远的另一个地方又出现了。

"我的妈呀，这是怎么做到的？"多多猛然联想起之前在森林里神攻击树人们的情形，不敢相信地说，"难道他真的拥有人类无法对抗的神力吗？"

"不！大家别慌！"查理突然整了整领结，十分肯定地说，"他不是神，神的把戏是骗人的！我想我大概知道他所谓神力的秘密了。如果我没有猜错的话，整个香巴拉恐怕是经由多个折叠空间组成的！"

"折叠空间？那是什么？"

这个科学名词对大部分孩子来说都很陌生，他们都不解地看着查理，只有扶幽幡然醒悟地点了点头，似乎十分赞同查理的观点。

"我来给大家……简单讲解一下吧。大家看这个……"扶幽从口袋里掏出一张方形面巾纸，指着对角线的两端说，"从正常的情况来看，这两个点……之间的距离应该是……整张纸上最长的。但是，如果我们将它们对折……"扶幽一边说，一边将面巾纸沿着另一条对角线对折，顿时方形的面巾纸变成了一个三角形，本来最远的对角线两端重合在了一起，"这么一来，这两个点就重合在一起了……"

"这张破纸和折叠空间有什么关系啊？"虎鲨听得不耐烦了，困惑地问。

"有！因为……只要有足够强大的引力，我们所在的空间也可以……像面巾纸一样折叠……"扶幽慢腾腾地说出了让大家瞠目结舌的话。

"什么？空间还可以折叠？"多多撑圆了双眼，迫不及待地问，"那么空间折叠之后，会发生什么事情？"

"我知道了，"婷婷最先明白了扶幽的意思，代替扶幽向大家解释，"当空间折叠之后，空间上本来可能距离很远的两个点就会重合。而如果空间里有人到达了其中一个点，就可能通过两个点之间的某种连通的通道直接到达另一个点，实

现空间跳跃式的前进。就像我们在香巴拉遭遇的一样，我们的飞机之所以能突然从空中消失进入香巴拉，我们之所以在藏羚羊的带领下突然从草原来到光秃秃的树根丛，应该就是因为这些地点是两两折叠在一起的。"

"没错，就是这样！"查理点了点头，补充道，"神之所以能在黑森林打败树人，传递声音给我们提示，应该也是他对香巴拉里的折叠空间能运用自如的缘故。"

Question 16
谜题十六

Lv. **B**

难度等级

空间折叠

强大的引力可以使空间弯曲，使得空间里本来相距最远的两端重合，距离变为零。距离越远，需要的引力就越大。假设空间中的两点A与B之间相距12万光年，而目前的引力只能够以A到B的距离上5/12处的C点为中间点进行空间折叠，你知道空间折叠之后，A到B的距离是多少？

【正确的解答在154页，快去验证一下吧！】

"可是，如果神想害我们，为什么要通过折叠空间三番两次救我们？"多多仍然不敢相信，眼前这个"神"会是个坏人。

"对啊，之前我们在黑森林被树人追赶，还有被黑树根和藏羚羊围困时，要不是神和穆风叔叔及时出现，我们恐怕也逃不了，为什么要把我们刻意引到这里来呢？难道这里有什么特别吗？"婷婷不可思议地问。

"其实我刚刚发现圣水池中有植物，并不是通过眼睛，而是用鼻子！"查理若有所思地看向穆风，"你们不觉得很奇怪吗？黑树根和藏羚羊都害怕穆风，而那池水中隐隐散发着和穆风身上一样的刺鼻气味……我不知道这个所谓的神为什么要大费周章地把大家弄到这里来，但我的直觉告诉我，这一切恐怕跟那株植物密不可分！"

"看来之前我小瞧你们了,尤其是……这条会说话的小狗！看来穆风说的那些世界冒险协会的事都是真的啊！"神面露惊奇地拍起手来，"带着不安和疑惑便无法安心地重生呢，为了奖励你们这些了不起的孩子，我就把一切都告诉你们吧——

"正如你们进来时猜测的那样，这座浮空的巨石建筑是远古巨人族的遗迹。我也不清楚它的成因究竟是什么，也许很久很久之前的地球上出现了一场毁天灭地的灾难，导致了巨人族的覆灭，当时灾难产生的巨大能量将香巴拉附近的空间多次挤压、折叠，就是这数百亿分之一的偶然几率将这座巨人宫殿保存了下来。

"我想你们早就已经发现了，这里的生物系统和外界截然不同，香巴拉是一个由植物主宰的世界，这个特殊生态系统源自于这里无处不在的圣光。这些圣光是一些未知的特殊能量，有可能源于某次天地大冲撞，也有可能是巨人族毁灭的文明中残留下来的。这些特殊能量以光波的形式存在，而折叠空间恰巧是一个完整密闭的能量储藏容器，能量在密闭的容器内永无止境地折射，持续了数亿年之久⋯⋯

"这些能量到目前为止，还无法被人类的智慧理解，但是经过上百年的观察，发现了一些可循的规律：能量可以直接作用于生物，但基于生物的种类不同，接受能量之后所呈现的反应也千差万别。

"动物机体无疑是能量最佳的载体，但人如果成为能量载体的话，当能量充满人体之后，人就会完全丧失行动的能力，这有可能和生物进化之后基因序列的变化有关。藏羚羊是目前最理想的收集能量的载体。

"植物利用一种如同克隆一般的神奇能力，通过结出'果实'的形式完美地复制了藏羚羊，并且通过某种无法理解的手段，从凌驾于生物体本能的高度控制了它们，让藏羚羊能义无反顾地牺牲，成为植物的养料。它们接受光照获取能量之后，再被植物作为养料吸收，而植物为了吸收更多的能量，则会反复不断地复制出更多的藏羚羊来完成收集能量的工作。

"除了藏羚羊，像蜉蝣之类的昆虫，它们以植物孢子为生，利用进化出的螯针刺激鞣尸的肌肉和神经以驱动他们，承担起香巴拉护卫一般的角色。

"香巴拉的所有动植物都服务于你们眼前的这株位于圣水池中的植物之王！"

说到这里，神的眼珠子一转，拖长了音节，指着水池说："植物之王是一株能创造奇迹的植物……并且它真正的奇迹早就已经展现在你们眼前了！"

"你的意思是……"神的话让大家心中升起一股不祥的预感。

神笑了笑，接着说："不然，你们认为已经到了死亡边缘的'穆风叔叔'，现在怎么还能活着站在这里？"

FILE 17
镜头十七

mù yáng rén
牧羊人的故事

CHARLIE IX & DODOMO

SHAMBHALA
THE END OF THE WORLD

"该不会是……"婷婷猛然想到了什么，脸色惨白地吸着气说，"你们还记得那些藏羚羊吗？"

听了婷婷的话，一个可怕的念头顿时从所有人的脑海中冒了出来。

"难道……人也像藏羚羊一样……被植物吃掉之后，变成了植物……的复制品？"扶幽将目光转向穆风，"莫非穆风叔叔也已经……"

残酷的真相就像一块巨大的石头压得大家喘不过气来，

尤其是穆雷，他从见到穆风还活着的喜悦中，瞬间跌入了可怕的深渊。

"穆风，你不会也……"穆雷睁着布满血丝的双眼，不死心地开口询问身旁的穆风。

然而穆风却看着他，露出了热切的笑容，一字一顿地说："哥哥，我变成这样有什么不好吗？来，你也接受圣水的洗礼吧，这样我们就能永远在一起了！"

穆风的话就像压垮骆驼的最后一根稻草，将大家的希望之火浇灭了。查理终于明白穆风身上的不对劲来自何处……难怪他不用树叶遮挡圣光也可以行动自如，难怪他不用近视眼镜也能看清东西……

但穆雷仍然不死心地用力摇晃着弟弟的肩膀："穆风，你快醒醒吧！不要被那个假冒的神迷惑了……"

"哥哥，你错了，我根本没有被迷惑，相反我更加清晰地认识到了生命的本质。"穆风突然一把抓住穆雷，将他拉到了水池边上，困惑不已地说，"死掉的话，不就什么都没有了吗？我这是为了能够继续活下去，和你还有孩子们在一起啊！

"不行！穆风，你不能这么做，你忘记和这些孩子们一起度过的时光了吗？这些孩子都像我们的弟弟妹妹一样，是我们的亲人啊！"穆雷拼命挣扎，想要摆脱穆风的手，但没想到穆风的力气大得惊人。

"我当然没有忘，"穆风面无表情地看着绝症孩子们说，"正因为如此，我才会把你们带到这里来啊！只要接受圣水的洗礼，你们就不用害怕绝症、畏惧死亡了，我们就可以永远在一起！"

"穆风说得没错！你们还犹豫什么，赶紧来接受重生吧！"神笑眯眯地拍了拍手。

"呼啦——"只见一群人突然悄无声息地在大家身后出现！

"我的妈呀！他们是、是……"一看清这群人的长相和服饰，多多倒吸了一口凉气，几乎说不出话来。那些绝症孩子更是筛糠般战栗不止。

原来,这些人竟然是早已在森林中变成鞑尸的龙虾兵们！那些已然变成鞑尸挂在树上的龙虾兵竟然活生生地出现在大家身后！

更为诡异的是，圣水池竟然不知不觉间悄然发生了变化，一根根血红色的管状藤蔓从池水中冒了出来，它们起伏蠕动着，仿佛有生命一般地呼吸着……

"这……这是怎么回事？"多多手指哆嗦地指着身边的墙壁，大家再一看，不知何时，整个殿堂都被管状植物覆盖住了！

而那管状藤蔓像人体的血管一样，不断地有液体在里面流动，因此呈现出刺目的血红色。

天哪，这个巨大的宫殿竟然整个都被植物包裹着！所有人都难以置信地屏住了呼吸，这才是植物之王的真面目！

那些管状藤蔓蠕动、飞舞着，像在表达着什么。

下一秒，怪力的龙虾兵像应和着那些植物一般一拥而上，大家连反抗的余地都没有，齐齐被困在了圣水池边。

　　"现在，大家知道我和穆风一路保护你们，将你们带到这里来的苦心了吧？"神面露自豪地对大家说，"就像动物群体都有等级之分一样，香巴拉里的植物也有等级差异。这株掌控着香巴拉的巨型植物就是香巴拉里所有生物的主宰——植物之王，你们经过的森林以及那些从地下爬出来的树根，其实全都是它分蘖出来的。那些树根虽然连接着植物之王，但它们再造生命的能力却截然不同。龙虾兵和藏羚羊完全没有自己的意识，是听从植物命令的傀儡。而植物之王不同，通过圣水再生的生命完美无瑕，任何疾病和残疾都能治愈，记忆和意识也被充分保留了下来……

　　"因为存在折叠空间，香巴拉的入口神秘莫测。但无巧不成书，自从一百多年前英国士兵进入香巴拉之后，开始有越来越多的人发现了香巴拉的入口，并来到了这里，其中就包括穆风。当我把这一切告诉穆风后，他自己选择跳入了圣水池中。从他口中，我得知他和你还收养了不少得了绝症的孩子，

于是我就让他写了一封信，把你们叫到了这里。只是，我没想到还多了几个健康的孩子。"

血淋淋的真相残忍地摆在了大家的眼前。

小伙伴们和穆雷眼中冒火地盯着皮笑肉不笑的神，捏紧了拳头。原来穆风叔叔之所以会被植物之王当成养料、写信将大家骗到这里，全都是这个假冒的神在捣鬼！

而这大概也是为什么穆风能够将大家从树根丛中救出来的原因，作为植物之王的复制品，其他的植物都很害怕他。

"呜呜……"孩子们绝望地哭泣起来，为逝去的穆风叔叔，为他们泯灭的梦想。

神却丝毫不为所动，他缓缓走向孩子们中间，用充满蛊惑的声音轻柔地劝慰大家道：

"欲修筑不朽之灵，必去除腐朽之躯。想要获得永生从来就不是一件简单的事情，多少人梦寐以求来到这里……不用担心，一点都不会痛哦！很快……很快大家将获得永恒的躯体，永远不会再受病痛的折磨了……"

"你说得冠冕堂皇，其实是想用我们当植物之王的养料！真是太过分了，你这个魔鬼！"多多气得火冒三丈，挣扎着大叫道。

"放开我！放开！本大爷要好好教训这个冒牌神！"虎鲨拼命挣扎，脸都憋红了。

"你、你这是对生命的蔑视！"婷婷难过得直流眼泪。

"作恶……是不会有好下场的……"扶幽把警察哥哥的说

辞搬了出来。

"冒牌神? 蔑视生命? 啊啊, 我可从来没说过自己是神啊! 看来没失去过亲人的你们始终不明白这是多么伟大的'奇迹'呢! 就让我再告诉你们一个奇迹吧——"

神开始述说他的故事——

他的祖先来自喜马拉雅山区附近一个与世隔绝的小村庄, 他们避世而居, 过着日出而作日落而息的淳朴生活, 全村最重要的财产就是一群藏羚羊。

一百多年前, 这样平静的日子突然被打破了——

那一年的冬天格外漫长, 春天迟迟不来, 羊群的食物越来越少, 羊儿们越来越瘦, 疲惫地耷拉着脑袋。这天, 负责牧羊的牧羊人夫妇照例上山牧羊, 没想到竟然发现白雪皑皑的雪山中长出了一大片嫩绿的青草。这太不正常了! 但是饿疯了的羊群却管不了那么多了, 径直冲了过去……

直到深夜, 牧羊人夫妻也没有回来, 村子里的族长点起火把正准备带上几个青壮年上山寻找。谁知道就在这时, 浑身是伤的牧羊人独自回来了。他整个人像疯了一般不停地哆嗦着, 双眼惊恐地张望着身后, 仿佛被什么可怕的东西一路追赶着似的。终于, 在大家的安抚下, 牧羊人战战兢兢地告诉大家雪山上长出青草了, 羊群走散了, 而他和妻子为了找羊不小心闯入了神的领域, 他的妻子遭受了神的惩罚! 受到极度惊吓的他丢下羊群, 没命地跑了回来……

牧羊人语无伦次、说出的话荒诞不经，大家惊疑不定地看着他，不知道他是不是因为丢了羊群而发了疯。但牧羊人却突然跪到了地上，将背上的布袋子卸下来，抱着里面的东西大哭起来。大家好奇地围过去，在打开的口袋里，见到了诡异的一幕——

那是已经死去的牧羊人妻子的尸体，白天还和大家说笑的牧羊人妻子此刻的样子令人毛骨悚然。她的皮肤和肌肉全都干瘪脱水，犹如一尊扭曲的蜡像！大家只看了一眼，就被吓得魂不附体，飞快地用布将牧羊人妻子的尸体盖上。她绝不是死于人类所拥有的力量，牧羊人所说的话全都是真的。

"太可怕了，不知道她死前遇到了什么……"

"最可怜的是他们的孩子，还那么小，就没了母亲……"

这个可怕的消息瞬间传遍了村子的每一个角落。第二天，全村人携家带口，迁徙到了远方。只有疯了的牧羊人带着年幼的儿子留了下来，还神神道道地每个月都要前往雪山朝圣，祈求神的宽恕……

时间在日复一日间飞快地流逝，很快，牧羊人夫妻的儿子已经长成了英姿飒爽的少年，而牧羊人也因为精神的折磨，变得满头白发，看起来苍老得就像一个百岁老人。

"这可能是父亲最后一次跟你上雪山了，我最近强烈地感应到自己很快就要去陪你的母亲了……"牧羊人对儿子说。

儿子流着泪搀着父亲登上雪山，他们虔诚地低头祈祷着，就像在和母亲道别一般。就在这时，奇迹出现了——

早已死去的妻子站在了他们面前，而她的容貌竟然一如多年

前一般年轻美丽……

这怎么可能呢？亲手埋葬了妻子的牧羊人惊呆了。只见妻子用无比温柔的眼神看着丈夫和儿子，轻轻地将牧羊人拉起来，并对他说："慈悲的神，已经宽恕了我们的罪……跟我来吧，我们一家一起到神的世界去生活吧……"

没错，这是妻子的声音，牧羊人觉得一定是哪里弄错了，妻子根本从未离开人世，他选择相信眼前拉着他手的妻子。牧羊人一家重新团聚了，他们泪流满面地抱在一起。可是一切都太晚了，牧羊人表示自己命不久矣，妻子却笑着说没关系，因为他们要去的地方是奇迹之地，在那里，他们一家一定能永远幸福快乐地生活下去。

在妻子的带领下，他们进入一个如同神话般的巨型宫殿，宫殿中间有一池闪着金光的圣水，妻子带着牧羊人走了进去，当他再出来的时候，背挺直了，身体康复了，外表也恢复成年轻时的模样，并且像年轻人般强壮有力。

少年被香巴拉的神迹折服了，他从此与父母一起定居于此，醉心探索香巴拉的奥秘，成了香巴拉守护神。

Question 17
谜题十七

难度等级 Lv. B

食物链的秘密

生态系统中，各种生物通过一系列吃与被吃的关系形成的一种联系，叫作食物链。营养会在一条食物链中层层传送，其中每个级层传递营养的效率大约是10％。如果一个人的食物有1/2来自绿色植物，1/4来自小型肉食动物，1/4来自草食动物，那么他每增加1千克的体重，消耗掉的植物有多少呢？

【正确的解答在154页，快去验证一下吧！】

答案:
Answer

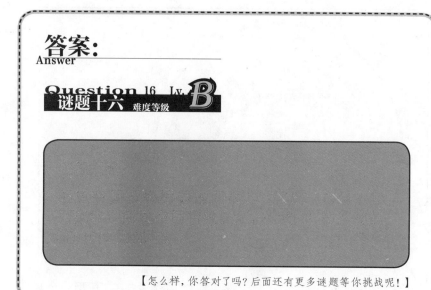

【怎么样,你答对了吗?后面还有更多谜题等你挑战呢!】

答案:
Answer

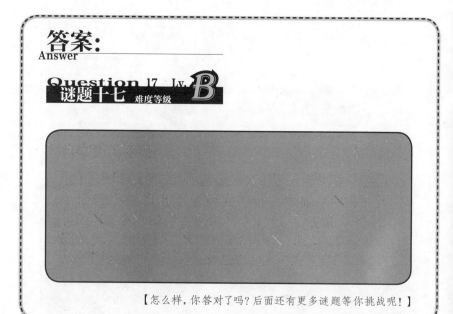

【怎么样,你答对了吗?后面还有更多谜题等你挑战呢!】

FILE 18
镜头十八

jiā yuán hé xìn yǎng
家园和信仰

CHARLIE IX & DODOMO
SHAMBHALA
THE END OF THE WORLD

"守护神，那个少年难道就是……"小伙伴们惊讶地瞪大了眼睛。

"没错，我的本名叫凯恩，自那以后香巴拉就是我的家园，我花了数十年的时间来研究这里折叠空间的规律，对这里的一切都了如指掌。我还可以随意出入任意折叠空间，就像你们所猜测的那样。"凯恩轻笑着说。

"可是，这是百年前的事吧，为何你现在看来也不过四十出头？"多多立刻发觉了不合逻辑的地方。

"那是因为这里存在的特殊能量，让生物时钟的转动比外面的世界更为缓慢。所谓永葆青春在这里再普通不过了。"凯恩淡然地回答，"所以说，我可从来没想过要你们的命啊，只是生命这种东西原本就有着各种存在的形式，我只是希望大家接受另一种形式而已! 你们老实说，再见到穆风难道不开心吗? 本该化为白骨的他能这样跟你们对话，对你们笑，难道不是真正的奇迹吗? 这可是世界上绝无仅有能获得重生的机会了，对于这种世间难得的生命奇迹，你们难道不该心怀感激地接受吗? "

凯恩的话极具煽动性，绝症孩子们的脸上露出了复杂的神情。

看到孩子们露出了犹豫的表情，多多大声说："不要被他骗了，他和穆风不同，他身上没有植物之王散发的怪味，也就是说凯恩自己是个正常人! 如果这种重生真的如他所说般那么美好，那么他自己为何不去重生呢? "

"这个不用你们操心，"凯恩不以为然地说，"我的父母已经跟植物之王融为一体了，等到我将来老得无法继续担当香巴拉的守护神的时候，自然会去陪我的父母。"

Question 18   Lv.

谜题十八   难度等级

树中父母

凯恩说他的父母已经跟植物之王融为一体了, 你发现凯恩的父母在哪儿了吗?

【正确的解答在182页，快去验证一下吧！】

血红色的树根中猛然显现出两张人脸，一男一女，两张脸紧紧地贴在一起，没有瞳仁的眼珠空洞地看着大家。

"他们……不是复活了吗？为什么他们变成了这副样子？"婷婷背后涌起一股寒意。

"你懂什么，"凯恩嗤之以鼻地说，"我的父母是得到了植物之王的眷顾，所以最终和植物之王融为一体，永远地存活下去。"

"你错了，凯恩，你早就失去你的父母了！"查理一跃而上，毫无惧色地直立起身体，整了整领结，说，"那个人早就不是你母亲了，当她把丈夫和儿子带入被植物统治的香巴拉时，当她眼睁睁地看着丈夫被植物吃掉而无动于衷的时候，她早就不是原本的人类了！他们比起复制人来，更像是植物结出的一种会动的'果实'。这些被吃掉的人都成了植物的果实，或许因为这株远古植物吸收了人类的DNA，而使果实能复制人类的外形，并且保留着一部分记忆而已。但这些复制品已经变成了植物的一部分，他们每时每刻都在香巴拉四处游荡着，为植物'母亲'寻找更多的养料。我想你虽然不愿承认，心里却比谁都清楚，一旦植物本身感到养料不足，便要放弃这些果实！因此你才费尽心思，为植物寻找养料。"

在查理的解说下，所有人都听明白了，这些被吃掉的人——龙虾兵、凯恩的父母，包括穆风叔叔，所谓的完美重生不过是植物之王结出的人形果实而已！

查理的话仿佛击中了凯恩的要害，他脸色骤变，勉强狡

辩道："哼，我记得这些绝症孩子都是孤儿吧？这些举目无亲的孩子不过是社会的废弃品，就算他们做了植物之王的养料也不会有人为他们伤心的，还不如趁自己还走得动，让植物之王赋予他们新的生命……"

"你别胡说了，"多多愤怒地大叫着打断凯恩，"这些孩子们才不是废品，他们是我们的好朋友，我们绝对不允许你把他们当养料！"

而穆雷更是气得浑身颤抖，没想到自己历经艰辛带着这些绝症孩子来到这里，最终等待他们的竟然是这样的结局！他心中的怒火此刻有如火山一般爆发了，仿佛全身的血液都集中到了手臂上，他双手一挥，竟然挣开了龙虾兵，挡到了孩子们前面："我就是他们的亲人！有我在，谁也别想动他们！"

"我们才不要成为人形果实！"受到穆雷气势的鼓舞，金发男孩擦着眼泪，鼓起勇气说，"眼前这个看似完美的穆风叔叔，虽然第一时间骗过了我们的眼睛，但是到了现在，我们可以肯定，他绝不是穆风叔叔。因为真正的穆风叔叔就算牺牲自己，也绝对不会伤害我们的。他是世界上最爱我们的人！"

"这孩子说得没错，这个所谓的完美复制的穆风虽然保留了躯体和记忆，却并没有人类丰富的情感。每一个活生生的人类个体都是不可复制的，感受不到喜怒哀乐的穆风已经是植物的傀儡了。"查理点头附和道。

"放过孩子们吧！即使牺牲了孩子们，你的父母也不会再苏醒吧？无非是增加更多的牺牲品而已！"穆雷高声道。

"不，我不用他们苏醒，他们只需要维持这个样子就行了……"凯恩露出一个扭曲的笑容，说，"不久前，一个神秘组织的人找到了我，他们说，我如果能把这株植物之王的种子弄出去，他们就会用基因工程的方式将我的父母复活。"

"把这种可怕的植物带出香巴拉，别开玩笑了，那不是害人吗？"多多瞠目结舌地说。

虎鲨更是激动地咆哮了起来："本大爷才不要和这些恶心的植物生活在一起呢！"

"即使……你的父母真的因此复活了，他们也不会高兴的！"婷婷扯着衣角说。

"你们这些小孩子知道什么！"凯恩用一种令人讨厌的口吻，慢悠悠地说，"那个组织的人有个了不起的计划，他们能把植物之王的种子撒播到全世界，他们还给我看了一株了不起的植物的资料，那株植物叫尤加特拉希生命树。"

听到生命树的名字，小伙伴们全都交换着不舒服的眼神，噩梦般的记忆这一刻在大家的脑海中苏醒过来——

尤加特拉希生命树是一棵以人脑为养料、结满人脑果实的古怪巨树，那次如果不是唐晓翼在关键时刻切断了尤加特拉希生命树的神经元，他们和海龟岛的居民就要全都葬身在那里了。（见《查理九世 不死国的生命树》）

一棵尤加特拉希生命树就有这么大的破坏力，那么占据和统治着香巴拉的这株植物之王呢？他们难以想象，这样的生物如果在车水马龙的城市里生根发芽将是何等可怕的情形。

　　这一刻所有人都面色苍白、冷汗直流，然而，凯恩却满怀憧憬地说："那棵了不起的生命树跟香巴拉同一时期的古老植物——植物之王有着类似的属性，能保留人脑的意识。但植物之王更了不起，它可是依靠香巴拉的'古老力量'长成的神奇植物！它不仅能保有人的意识，更能完美复制人的身体！毫无疑问，植物之王是世界上所有疾病和痛苦的救赎之源，如果能带出去，一定能拥有改变世界的力量……"

　　"哦，对了，说到生命树，"凯恩不怀好意地斜眼看着小伙伴们，嘲笑般说道，"听说找到海龟岛生命树的那个人就是以前到过这里的那支羽之冒险队的队长唐晓翼，没想到你们和他居然是朋友。当初那个神气不可一世的讨厌小鬼还是只剩

下一个人了，不知道他有没有后悔呢？"

"唐晓翼如果当时真的接受了你的提议才会后悔呢！"多多气愤地说，"他们羽之冒险队后来可是去了很多地方，破解了很多了不起的谜境！"

"嘁，就算如此又能怎样？他还不是要眼睁睁地看着他的同伴们一一死去，最后就连他自己也不能幸免……"凯恩残忍地说。

"羽之冒险队才没有死呢！他们的精神至今都在激励着这些绝症孩子们，也激励着我们，这才是真正的永生！"婷婷坚定地说，"而且我们在尤加特拉希生命树下发现的密密尔泉是传说中能够治愈渐冻症的泉水，我相信唐晓翼也绝对没有死！"

"没错……我相信只要大家不放弃希望……也许有一天，就能够找到治愈绝症的办法……"扶幽鼓励地看向绝症孩子们。

DODO 冒险队的话让被真相打击之后的绝症孩子们的眼中重新燃起了希望。

"谢谢你们，DODO 冒险队，还有穆雷叔叔，"绝症孩子们由衷地说，"谢谢你们带我们来到这里。虽然香巴拉的奇迹是假的，却让我们领会到了生命真正的含义，我们之前太纠结于一般意义的活着了，但实际上，活着有很多种方式。如果有机会离开这里，我们会珍惜每一天，用自己的方式活下去的！"

FILE 19
镜头十九

hū huàn
生命的呼唤

CHARLIE IX & DODOMO
SHAMBHALA
THE END OF THE WORLD

　　"虽然你们的愿望很美好，可惜的是，已经没有机会了哦……"

　　凯恩边说边俯下身，抚摸着地上的红色管状藤蔓，喃喃道："我之前利用折叠空间做过数次尝试，我发现，要想把它们带出香巴拉，还需要再为它们提供最后一批'养料'。"

　　说到这里，凯恩将目光投向大家，露出了不怀好意的笑容。

　　凯恩以为孩子们会尖叫、会大哭，但奇怪的是，所有绝症孩子突然都安静了下来，大家默默地交换着眼神，似乎达

成了某种一致的意见。

随后，一个马尾辫女孩站出来说道："我们想好了，我们愿意成为植物的养料，但是你必须满足我们最后一个愿望。"

孩子们坚毅的表情着实让凯恩有些意外和震惊，他点了点头："好，你们说。"

"原本你的目标就是我们，所以请你放走穆雷叔叔和DODO冒险队！"孩子们齐声对凯恩说道。

凯恩没有说话，他轻轻地点了一下头。

孩子们用稚嫩的双手推开一直挡在他们前面的穆雷，转过头看向DODO冒险队，他们的眼神中流露出对于生命的无限渴望，声音却低沉而铿锵有力："穆雷叔叔、DODO冒险队，请你们代替我们仰望明天的太阳，只要你们心中有我们，我们就会在你们心中永生。"

绝症孩子们说完最后的遗言，闭上了眼睛，似乎做好了迎接死亡的准备。

小伙伴们被绝症孩子们的话深深地触动，流下了无声的泪水。穆雷更是如遭重击，像烂泥一般无力地瘫软在地上，露出濒死之人才有的表情。

凯恩收起他原本略带得意的笑容，转头对穆雷和小伙伴们说："我就放过你们，不过，你们可不要再捣乱了，好好收下这些孩子们的心意吧！"

"现在，让我们完成神圣的圣水受洗仪式吧！"凯恩让孩子们排成一列，挨个儿向圣水池走去。

"不要放弃啊！"多多他们嘶吼般哭喊着，眼泪鼻涕满脸都是。他们拼命地挣扎着，然而他们身后的龙虾兵的手就像铁钳一般坚固，无论如何用力也挣不开，就连查理也被紧紧抓住，动弹不得。

"对……不能放弃……"地上的穆雷喃喃自语着，突然使出全身力气猛地扑向了凯恩。

面对穆雷的攻击，凯恩面无表情地站在原地不躲也不闪。就在穆雷的手距离凯恩脖子仅仅几毫米的时候，一直像木偶一样站立在凯恩身边一动不动的穆风突然一个箭步从一旁蹿出，将穆雷牢牢地擒在地上，毫不留情地将其拖离了凯恩的身边。

"穆风，你醒醒！"穆雷声泪俱下地说，"难道你真的忘了吗，当初你是怎么爱护这些孩子的？你现在怎么能助纣为虐，帮着伤害你曾经最挚爱的人？"

然而穆风面无表情一言不发，仿佛根本就听不懂穆雷在说些什么。

"穆风，亲爱的弟弟，求你救救孩子们吧……"穆雷用尽最后的力气绝望地嘶吼着。

在穆雷的嘶吼声中，谁也没有注意到穆风的眼角抽搐着，他的眼眶里竟然涌出了一滴眼泪。

随着那泪滴无声地落下，穆风全身开始颤抖起来，在所有人惊讶的目光中，穆风仿佛用尽全身的力气艰难地伸出左手，指向左边的一个方向，双唇哆嗦着，从嗓子眼儿里挤出

一个低沉得几乎听不见的声音："那边……快逃……"

咦，穆风叔叔这是在为大家指明出口吗？

"穆风！你回来了？"穆雷动容地看着已经变成复制品的弟弟，泪如泉涌，伸手想要上前拥抱他。

可就在这时，穆风的脸庞突然痛苦地扭曲在了一起。

他脚跟附近的植物藤蔓就像受到了什么刺激一般，突然向四面张开，像一张血盆大口一般把穆风围在中央，那些血红色的藤蔓毫不留情，狠狠地扎进穆风的身体，将他身体里的水分迅速吸收掉。短短的十几秒后，穆风枯萎成了一具如稻草人般干瘪的躯体。

这一切都太快了，只不过是一眨眼的工夫，穆风就从大家的眼前消失了，地上只剩下了一堆干巴巴的根茎。

与此同时，一个细小的声音轻轻地从脚下传来："永别了，哥哥，还有我亲爱的孩子们！"

"哼，植物之王给你永恒的生命，但你却选择了背叛！这就是背叛植物之王的下场！不听话的孩子，就如同毒瘤一般，必须被舍弃！"凯恩不屑地看了一眼变成根茎的穆风，冷酷地说道。

"弟弟……"穆雷跪倒在地，满脸都是泪痕，自责不已地说，"如果当初我能阻止你来香巴拉就好了……"

"穆风叔叔这么做，都是为了我们！"小伙伴们红了眼圈，绝症孩子们也都流下了伤心的眼泪。

"真是愚蠢的选择！"凯恩叹了口气，"本来你们可以和他永远生活在一起的，同根同源永不分离，但你们却自己亲手毁掉了这个机会! 好了，浪费了这么久的时间，我不会再给机会让你们自己选择了!"

凯恩满意地将手一挥，龙虾兵们便放开多多他们，纷纷将绝症孩子们举了起来，准备扔入水池。

小伙伴们都吓坏了，他们挣扎着想要冲过去拉住龙虾兵，但多多刚抬起脚，就重重地摔在了地上，原来龙虾兵之所以放开他们，是因为地上的藤蔓早就缠住了他们的脚。

等等! 倒在地上的多多突然发现了什么，他哆哆嗦嗦地用暗语说: "多义新亚衣某西宾替吊是灯!"

多多看似胡言乱语的话，却让三个小伙伴都惊讶得张大了嘴。

Question 19
谜题十九

暗语

为了在遇到危险的时刻，大家也可以顺利地交流而让敌人不明所以，婷婷利用反切法发明了DODO冒险队之间的暗语，即某个字用两个字来表示，听的人会取上一个字的声母、下一个字的韵母和声调来获取说话者的真实意思。你知道多多刚才用暗语说的是什么吗?

【正确的解答在172页，快去验证一下吧！】

多多的发现让查理灵机一动，它三角形的耳朵动了动，目光一闪，说道："我不在的时候，照顾好自己！"

查理说完，突然拔开腿，飞快地朝圣水池冲了过去。而圣水池周围的树根藤蔓则开始本能地将迅速靠近的查理缠绕住。

大家还没来得及细嚼查理的话中含义，就看到查理已经用牙齿咬断了缠住它的植物藤蔓，闪电般地一跃而起，往圣水池里跳了进去。

"扑通！"圣水池溅起一团巨大的水花，离圣水池最近的龙虾兵似乎察觉到什么不对劲，扑上去抱住查理一起跳了下去。

"查理！"

"查理老大！"

"疯、疯狗太郎！"

查理做出了一个让所有人都难以置信的举动！小伙伴们眼睁睁地看着跳进水池里的查理和龙虾兵顷刻间沉没了……

查理会被融化掉，最终也变成果实吗？它为什么要做这样的选择呢？

小伙伴们呆立在原地，脑子里一片混乱。就在这时，地下原本有节奏的心跳声突然紊乱起来，与此同时，脚下的地面像地震了一般晃动了起来，那些血红色管状藤蔓就像受到巨大的刺激一般，疯狂地上下扭动起来，一股一股狰狞的血红色涌动膨胀着，仿佛随时要冲破表皮喷涌而出！

"怎么回事？"凯恩显然从来没有遇到过这种情况，脸上露出了惊慌的神色。但更为糟糕的是那些龙虾兵，他们就像

刚刚的穆风一样，一个接一个地迅速枯萎倒下……

而穆雷和小伙伴们却趁机脱身，形势在一瞬间发生了重大的逆转！重新看到了生的希望的绝症孩子们也都拿出了最后的力气，在穆雷的帮助下，纷纷摆脱已经枯槁的龙虾兵们的束缚，大伙儿准备朝着刚刚穆风指引的方向撤离。

可突然间，周围毫无预兆地暗了下来，所有人都被黑暗吞噬了，小伙伴们的叫喊声、根茎藤条的抽打声、混乱的脚步声都在一瞬间全部消失了，四周变得出奇的安静。

墨多多小心翼翼地从地上爬了起来，赫然发现黑暗中只有自己一个人。

突然，一张熟悉而巨大的绿皮人脸出现在他的面前。

"德里？"多多疑惑地问。德里朝他眨了眨眼睛，示意他靠近自己。然而多多刚朝前迈了一步，一段尘封许久的记忆就像洪水一般涌进了他的脑海之中——

巨人族是一个古老的种族，他们就像恐龙一样，不但体型庞大，而且拥有漫长的生命。不过，跟其他动物不同的是，他们身上保留着部分植物的特征，他们的皮肤细胞中含有叶绿体，所以他们的皮肤是绿色的。除了靠进食获取能量之外，他们还可以依靠光合作用补充能量。

随着文明的不断发展，巨人族对能源的需求越来越大。这时，巨人们开始着眼于生物能的利用，而德里也致力于培植出能加倍创造生物能的新型植物。随着新植物被创造出来，源源不断的生物能将巨人的文明提升到了一个登峰造极的新高度。这样了不起的功绩让德里成了最高荣誉的获得者，成为所有巨人们顶礼膜拜的对象。

然而，接下来的发展却大大出乎了德里的预料。不但生物能被滥用，大量的植物也被人肆意改造，越来越强的植物如雨后春笋般出现，生态平衡遭到了严重的破坏。

疯长的超级植物统治了地球，大量的二氧化碳被消耗，全球气温骤然降低……

德里从巨人社会了不起的功臣变成了大家最痛恨的罪人。而新型植物和生物能更是被列入了黑名单，要求被彻底清除。德里也变成了阶下囚。懊悔的德里在绝望中将自己最后研究出来的超级种子吞进了肚子……

可是，让德里没有想到的是，这颗生命力超乎想象的种子竟然在他的身体里生根发芽，并在他的心脏中扎了根，以他的身体为养料生长了起来，成了一株比所有新型植物更强、拥有自主意识的

超级植物。

　　而随着生态平衡的彻底崩溃，地球进入了漫长的冰河时代，地球上的生命遭到了集体大毁灭。巨人族的文明也在这次大毁灭中彻底消亡了。

　　只有这株长在巨人德里心脏上的史前植物因为碰巧进入了在大灾难中由巨大能量形成的折叠空间里而留存了下来。在漫长的时间中，它得以在这个隐蔽的折叠空间里发展壮大，并且一直在寻找着新的机会重新回到外面的世界去……

答案：
Answer

Question 19 Lv.B
谜题十九 难度等级

【怎么样，你答对了吗？后面还有更多谜题等你挑战呢！】

dé lǐ de xīn shēng
德里的心声

CHARLIE IX & DODOMO
SHAMBHALA
THE END OF THE WORLD

巨人德里的记忆到此结束了!

多多看见一颗巨大的心脏在黑暗中跳动着,那些密密麻麻的管状植物的根茎最终汇聚在一起,像血管一样深深地插入了这颗心脏之中,贪婪地攫取着养料。

德里的声音最后忏悔般地说道:"所有骄纵自负的文明最终都将走向灭亡,我们的结局就是教训,是警世之钟……"

如同电影一般的记忆将小伙伴来到香巴拉之后的所有梦境都串联了起来,也让墨多多彻底明白了香巴拉的一切是怎么

回事儿。

原来这株所谓的植物之王是长在史前巨人德里心脏上的超级植物，它真正的养料来源是位于水池下的德里的心脏，而这正是传说中地球上最古老的力量！

"汪！"一声响亮而熟悉的吠叫将多多和其他人从德里的梦境中拉了回来。

大家睁开眼睛，不可思议的一幕出现了！

一只黑眼圈的小狗亮起尖尖的犬牙，叼着一节粗壮的管状植物站在圣水池边，而池中的圣水全都干涸了，水池里的植物仿佛上岸后喘不过气来的鱼一样，拼命地抽动着。

"查理,这到底是怎么回事？"小伙伴们不可思议地齐声问。

只见查理露出了得意的表情，甩着尾巴说："我一直在观察着圣水池，为何只有在那里出现了一潭池水呢？当多多发现地下有心跳声时，我赫然明白了，圣水并不是植物之王的养料，而是植物之王分泌的树汁,是用来保护某种东西的保护液。所以，它会腐蚀一切靠近它的东西，那下面一定有什么重要的东西，就像尤加特拉希生命树的神经元一样，我想植物之王的能量来源应该就在那下面。"

"可是难道你不怕被腐蚀？"多多难以置信地说。

"我跳进水池的时候，本来已经抱着必死的决心了，谁知道身后的龙虾兵可能感应到植物之王有危险，在我落水前的瞬间抱住了我，而我蜷成一团，被他的身体包裹住了，所以圣水并没有腐蚀到我，只是在我咬树根时嘴巴上掉了几根

毛……啊，幸运之神真是眷顾我啊！"查理咧嘴笑道。

"原来如此，"多多欣喜地冲大家喊道，"太好了！查理咬断了植物之王和德里心脏连接的根茎，它要完蛋了！"

听到植物之王就要覆灭了，身体和精神都极其疲惫的穆雷和绝症孩子们长长地舒了口气。

另一边，布满大殿的植物根茎全都剧烈收缩着，似乎在垂死挣扎！

快速的枯萎崩塌很快也蔓延到了那条长着凯恩父母的脸的根茎上，凯恩父母的脸顷刻间扭曲成一团，变成了一个难看的疤。

"不！不！你们不能死！不能死！我们一家人要永远在一起……"凯恩失控地冲向父母，怒不可遏地大叫着，"你们这些愚蠢的家伙，看你们做了些什么好事！你们害死了我的父母！"

"该清醒的人是你！"多多毅然迎上愤怒的凯恩，义正词严地说，"你的父母早就已经死了！你也看到过德里的梦境吧！我想，德里大概是想告诉我们'物种入侵'的危害，尤其是人为制造的新物种。一旦这种物种过于强大，就会泛滥成灾，危害其他的物种，导致物种的大灭绝！所以植物之王根本就是不该存在于世上的东西啊！"

"没错，你也不想看到生态系统像史前巨人们遭遇的那样濒临崩溃，导致生物物种大灭绝吧！"扶幽一激动，说话竟然不慢腾腾的了。

"而且,就算你用其他人的生命作为代价,让你的父母复活,得知你的所作所为,他们也一定会唾弃你的!"婷婷也振振有词地说。

"总之,这种把动物和人当成养料的鬼植物,本大爷绝对不想和它生存在同一个世界里!"虎鲨嫌弃地撇了撇嘴。

"凯恩!你应该好好听听这几个孩子的话,认真反省自己的过错,"穆雷满脸泪痕,"失去亲人的痛苦,我刚刚已经深刻地了解了。但不管再怎么想要找回自己的亲人,也不应该做伤害别人的事情!"

"你们……你们都在胡说八道,我才不要听!"凯恩尽管嘴上依然固执,但是他的双眼已经失去了神采。

植物之王的枯萎,让他最后一丝希望也破灭了。

不好!大家这才注意到随着周围的植物的枯萎,早已不堪重负的墙壁和地面不断出现了巨大的裂痕,裂痕下面是深不见底的黑洞,香巴拉就要崩塌了!

"汪汪!失去了德里心脏的能量,整个香巴拉恐怕都要坍塌了……还记得穆风临死前指的出口吗?我们快走!"查理急声吠叫着,催促大家赶紧离开。

大家加快脚步,朝着刚才穆风所指的方向拼命地飞奔。

穆雷拉着绝症孩子们准备走,但刚刚差点死掉的金发男孩却拉了拉站在那里发呆的凯恩。

凯恩推开了孩子的手,露出一个惨淡的笑容,有气无力地说:"你们走吧,我会留下来陪我的家人!"

　　但金发男孩却固执地拉着他，穆雷冲上来，重重地给了凯恩一巴掌："你为什么这么执迷不悟啊！你的父母一定是满怀着爱才将你生下来吧，你本身就是父母生命的延续啊！"

　　说着他一把将凯恩拉到背上，背起他跟孩子们一起跑了起来。

　　"轰！"在他们的身后，濒临崩溃的香巴拉开始塌陷了。

　　多多他们前进的道路上好像有什么东西将他们吸了进去。

　　"哇啊啊啊——"无尽的黑暗在脚下展开，多多感觉自己好像坐在游乐园里的长滑梯上，贴着光滑倾斜的洞壁，一路飞驰，迅速滑落。

终于，砰！灰尘漫天飞舞，多多的脚重新踩在了坚实的大地上，他弹起身来，环顾四周，发现大家竟然已经到了青藏高原之上，看来大家都顺利地从穆风所指的方向逃脱了。

"太好了！"多多紧紧地抱住查理，和小伙伴们相拥在一起。在他们的周围，所有死里逃生的绝症孩子们也和穆雷紧紧地抱在了一起。

这时，多多注意到队伍中间多了一个伛偻干瘪的老头子。

仔细一看，他竟然就是凯恩！大概因为他在香巴拉的环境中还可以保持住中年的样子，但离开了那里，就瞬间衰老成了一个耄耋老者。这恐怕就是香巴拉传说中，那种只有在香巴拉才能享受到的"时间奇迹"。

"对不起……"凯恩有气无力地蠕动着双唇，眼中沁出了泪水。他显然没有想到穆雷和绝症孩子们最后竟然以德报怨，将他带离了崩塌的香巴拉。

"我们不怪你，虽然我们从小就没有亲人，但是穆雷和穆风叔叔都比我们的亲人更亲。其实，在得知成为植物之王的养料可以让穆风叔叔活得更久，我们也差点动心了。"

"我想你心里应该跟我们一样，只是因为孤身一人感到寂寞而已吧！"

"也许从今以后，你应该想想，怎么过好自己剩下的日子。你一直待在香巴拉里，其实外面的风景也很美丽！"

绝症孩子们七嘴八舌地说。

凯恩浸沐在高原遒劲的风中，似乎被孩子们真诚的话语

打动了，不由得老泪纵横地说："我现在好像有点明白那个叫唐晓翼的孩子所说过的话了。"

"唐晓翼说过什么吗？"墨多多好奇地伸长了脖子，他实在很想念那个毒舌又无所不能的引导者啊！

凯恩笑着回忆道："当时我劝诱羽之队喝下圣水，告诉他们这是世间唯一获得永生的方法，唐晓翼却说，'绝对不是，至少我就知道还有其他三种'，我不相信，于是我俩打了个赌，如果唐晓翼说得出来，我和龙虾兵就不为难他们，平安送他们离开……"

"那个家伙一定说了什么有趣的话吧！"虎鲨忍不住插嘴说。

"是啊，那孩子引用了一段古人言，他说'太上有立德，其次有立功，其次有立言，虽久不废，此之谓不朽'，也就是说**人世间有三种方法可以赢得永生：第一是树立道德；第二是建立功业；第三是做好学问。换句话说，有德者、有勇者、有智者皆可获得永生**。我当初就这样被他糊弄过去了，放走了羽之队！"凯恩回忆着，从言语间能听出来，他似乎不讨厌唐晓翼和羽之队。

"哈哈，果然有他的风格。"小伙伴们相视而笑。

回想起在香巴拉遭遇的一切，绝症孩子们深有感触——

"虽然我们也很想让自己短暂的生命变得长一点，但是经过这次历险，我们才真正地理解了生命的意义！"

"对了，唐晓翼离开香巴拉前送了我一个东西，我现在转

唐晓翼的赠礼

在凯恩拿给大家的密闭盒子上有六个字母模块，其中有一块是空着的，需要他们填上正确的字母模块才能打开。

【正确的解答在182页，快去验证一下吧!】

送给你们吧。"凯恩从口袋里掏出一个木头盒子交给多多。

多多接过盒子，仔细地打量起来。

咦，打开这个盒子好像还不是那么容易呢！

盒子打开了，里面是一张字条，上面是唐晓翼的一句留言——

你所浪费的今天，是昨日死去之人苦苦奢望的明天；你所厌恶的现在，是未来的你再也回不去的曾经。把握住这七个字母，周而复始，珍惜你所拥有的每一天，才会拥有一个永无遗憾的生命！

— 【第二十三部完】 —
CHARLIE IX PRODUCTION COMMITTEE

下册预告 Drama notice

CHARLIE IX & DODOMO
查理九世
第二十四册

在远古不死鸟安卡的帮助下，DODO冒险队终于登上空中的诺亚方舟——浮空城。

小伙伴们摩拳擦掌、兴奋不已。

谁料，浮空城内竟然隐藏着一个世界冒险协会的科学家们花了数十年研究也无法了解的神秘禁区，听说濒死之人将在这里看到另一个自己。

黑暗中，一双双神秘的眼睛正紧紧盯着多多他们，世界冒险协会的大人物——雷欧轰然倒地，查理注意到，他手心上隐藏一道骇人的十字伤疤……

人类啊！如此渺小，却如此贪婪：曾经辉煌的世界，将沦为永久的死地。

幸存的勇士，在末日的方舟里忏悔吧，不死之鸟将赐予他们最后的启示。

快来帮帮我们！！

"鬼影迷踪"是怎样的组织？
"查理九世"的贵族血统又源自何处？
一切谜团即将揭晓！

▶▶▶

Dodomo in wonderland

Dodomo ⭐

VS

Charlie IX ⭐

墨多多与查理九世

超级大侦探教室
Super Detective Classroom

密室寻宝，险境求生，
观察力、逻辑推理能力、判断力，缺一不可。
接受挑战吧！
下一个冒险王，就是你！

PLAY TIME ▶▶▶

CASE 01. 高明的司机

扶刚给小伙伴们讲述了他最近听说的一个奇怪的事件：

有一辆没有开任何照明灯的卡车在漆黑的公路上飞快行驶，当时天上还下着瓢泼大雨，没有闪电，没有月光，也没有路灯，就在这时，一个穿着一身黑衣的盲人突然横穿马路！在这千钧一发之际，卡车司机居然神奇地紧急刹车，避免了一次恶性交通事故的发生。

多多和虎鲨齐声叹道："真是好厉害的司机啊！"

查理却歪着头，认为司机没什么了不起。

查理为什么这么觉得？

答案：漆黑的公路只是天空明亮而看着黑色的而已，得其实非常明亮。

CASE 02. 安静的查理

今天的家庭作业可真多，多多用了好长时间才做完。让多多感到奇怪的是，疯狗太郎一直安静地坐在沙发上，一点儿都没给他找麻烦。见多多完成了作业，查理才笑眯眯地跳到桌子上，神秘兮兮地说："你一定很好奇我刚才在干什么吧？我刚才做了一件你能做，我能做，大家都能做，一个人能做，两个人却不能做的事。"

你知道查理刚才做了什么事吗？

CASE 03. 货车过桥

小伙伴们经过一座桥，发现有两辆大货车停在桥边，司机满脸犯愁的样子。一问才知道，两辆货车各自都装载着重达3吨的货物，后面的货车因故障抛锚，需要前面的货车拖着才能前进，可是这座桥的载重量只有5吨，车上的货物无法拆分，所以两辆车无法同时通过大桥。

如果不能按时将货物送到，就拿不到今天的工钱，司机叔叔看起来很着急。小伙伴们稍微想了一会儿，就想到了让两辆车顺利过桥的办法，解决了司机叔叔的麻烦。

你知道小伙伴们是怎么做的吗？

答案：用一条长长的绳子将两辆货车连起来，保持车距前后相隔一定距离再过桥就行了。

CASE 04. 米的家庭成员

星期天，多多在家待得很无聊，便缠住爸爸，问了一连串的怪问题："爸爸，爸爸，你知道米的妈妈是谁吗?"见爸爸回答不出，多多又问:"爸爸，爸爸，那你知道米的爸爸又是谁吗?"多多爸被自己的宝贝儿子问得哑口无言。你能替多多爸回答出米的妈妈和爸爸分别是谁吗?

答案: 米的妈妈是花，因为花生米; 米的爸爸是蝶，因为蝶恋花。

CASE 05. 吹牛的墨多多

一天，多多对小伙伴们说："我呀，有个弟弟，他胆子特别小，一点儿也受不得惊吓。有天夜里弟弟做了个噩梦，梦见敌国的武士冲进了皇宫，将一把利剑刺进了弟弟的心脏。弟弟受到惊吓，犯了心脏病，在睡梦中就死了。"

大家一致认为多多又在吹牛，小伙伴们是怎么识破多多的呢？

答案：如果弟弟在梦中被吓死了，那么没有人会知道他做了什么样的梦。

CASE 06. 神奇的飞弹

虎鲨最近痴迷读军事杂志，有一天他神神秘秘地对多多说：有一种飞弹，可以达到每小时30千米的速度超低速并且贴近地面两米左右的高度直扑目标而去，中途还可以进行90度的急转弯，甚至还可以倒退飞行。

还有这么神奇的飞弹？多多惊讶极了，这到底是什么飞弹啊？

答案：蒋在本书上册飞镖。

CASE 07. 奇怪的外国人

超级大侦探教室
Super Detective Classroom

玩转脑细胞

墨多多乘坐公交车，旁边坐了一位外国人，每次在公交车停靠在车站时，这个外国人就会十分认真地从座位上站起来，等到车开了他又坐下。多多十分不解，你知道为什么吗？

答案：这个外国人把公交车上面显示出来的"下一站停车"看成了"起身说一下"。

CASE 08. 扶幽的"幽默感"

扶幽患了流行感冒,请假在家输液,小伙伴们带着礼物去探望扶幽,扶幽很感动,想要说点开心的话题活跃气氛,但又不知如何表达,一番沉默后,扶幽突然对着输液瓶"呵呵呵呵"笑个不停。小伙伴们都很费解,只有多多突然明白了扶幽与众不同的"幽默感"。

你知道扶幽为什么对着输液瓶笑个不停吗?

答案:图为扶幽输液悬挂(笑点低)。

CASE 09. 四兄弟

晚上睡觉前，多多妈给多多出了一个谜语："大哥说话先脱帽，二哥张口先挨刀，三哥定要先喝水，四哥出场雪花飘。猜四样相互有关联的学习用品。"多多很快就猜到了答案，得到了妈妈的表扬，你猜到了吗？

答案：毛笔、铅笔、钢笔、粉笔。

01

classroom

COMIC THEATER

趣味+幽默 查理九世首度公开漫迷小剧场

[多多囧事]

CASE 01. 找旗子

墨多多和同学们参加夏令营活动,带队老师将他们带到度假村后,便下达第一个考察观察力的任务——找寻度假村内有多少面旗子。你可以帮多多他们找齐吗?

答案:一共有11面旗子,你都找齐了吗?

CASE 02. 找鹦鹉

度假村的后山是鹦鹉保护区，里面栖息了许多品种珍贵的鹦鹉，你能根据画面找出多多和小伙伴们周围有多少只鹦鹉吗？

答案：一共有10只鹦鹉，你都找到了吗？

【这里，没有秘密】

★ 读者来信问题大盘点，全面解析《查理九世》的世界 ★

◆ 侦查报告 ◆

Q1.墨多多他们总是经历这样或那样的冒险，还有时间去学习吗？（江西，熊宇航）

答：有哦，只要班长尧婷婷坐镇，多多他们三个男生立刻乖乖学习。

Q2.《羽蛇神的黄金眼》中P57上谜题六的答案10+9+8+7+6+5+4+3+2+1=54（次）是错的，应该是55次。（安徽，潘瑛灏）

答：谢谢小读者为我们找出BUG，答案是54次，因为最后一把钥匙不需要试，所以应该为10+9+8+7+6+5+4+3+2=54（次）！

Q3.《外星怪客》P127上小字后的第二段怎么写成了"124小时毁灭地球"？（江苏，孔德宸）

答：经检查发现两个可能性。第一，你把"！"看成了"1"；第二，你买到的是盗版书，所以产生了印刷错误。

Q4.下面出的书中还有亚瑟出现吗？我可是很喜欢亚瑟的哦！（浙江，钟仲懿）

答：只要多多他们缺钱缺装备时，亚瑟就会自动出现，所以放心吧。

Q5.作者大人，我经常看《查理九世》，发现了一件事儿——多多为什么一直穿背带裤？（吉林，刘佳辰）

答：因为他就爱这个STYLE啊！

Q6.为什么书里的人物除了婷婷一个女的，其他都是男的呢？（山西，谭梦圆）

答：话说，小读者你是不是忘了多多妈、林老师（警官）、雪梨、梵佳、太姥姥、殷灵、木耳、玛利亚等等这些人啦！

Q7.查理九世真好看，冒险队员各不一。
多多最爱思不知，婷婷知识数第一。
扶幽机智善发明，虎鲨豪爽饱眼福。
每人都有各自优，深入我心饱眼福。
望今后各有优异，放松身心益学业。
（广西南宁，王墨涵）

答：嘿嘿，挺有才，所以登出来让大家共同欣赏一下。

Q8.我很想知道唐晓翼是不是还活着，他以后还会出场吗？（广州，付恒）

答：我悄悄告诉你，我最近偷偷翻阅了一下雷叔备忘录，我赫然发现他整理了很多关于羽之冒险队冒险的新段子！有证据显示雷叔正在策划一场关于唐晓翼的新冒险故事！

【来信的法则】

来信的你，不可不知道的事！

● 请使用圆珠笔或水笔，保证字迹清晰。

● 准确填写回信地址和回信人名字。

调查排行榜

十大感人场面

现在就为你揭晓——

统计自『查理九世』出版发行之日截至2014年6月底所收到的读者

感人场面排行榜！

☆TOP 1 《恶魔医务室》
多多他们三个男生和查理彼此相互信任，齐心协力地破解坠楼石机关，成功脱离险境。

☆TOP 2 《不死国的生命树》
唐晓翼病发，多多认真地说绝对不会抛弃任何一个同伴，虎鲨拍胸脯保证会保护唐晓翼。

☆TOP 3 《黑贝街的亡灵》
查理为救小狐狸们毅然冲入即将爆炸的鬼宅。爆炸发生后，小伙伴们伤心痛哭，没想到查理带着小狐狸们成功生还。

☆TOP 4 《黑雾侏罗纪》
最后结尾处，小伙伴们看到苏格拉底留在石板上的话——婷婷、多多、扶幽、虎鲨还有小狗，我想念你们。

☆TOP 5 《失落的海底城》
亚瑟和母亲安菲特里特分别，安菲特里特代表平安和幸福的"海神之泪"送给亚瑟。亚瑟吹响黄金长笛为母亲送行。

☆TOP 6 《不死国的生命树》
火狐狸露出獠牙的獠牙，扑向查理，狼王猛然窜出来，将查理甩了出去，自己却被火狐狸狠狠咬到了肩头。

☆TOP 7 《法老王之心》
南翎被木乃伊Boss挟持，墨多多嘶声表示自己愿意跟南翎做交换，牺牲自己解救南翎。

☆TOP 8 《青铜棺的葬礼》
被梵易制造出来的双面怪物在最后关头，奋不顾身地救下梵易，自己却烧死在大火中。

☆TOP 9 《冥府之船》
果冻海上，亚瑟割开自己的手腕，洒出鲜血令三头怪鱼停止攻击，解救了多多他们。

☆TOP 10 《吸血鬼公墓》
哈根流着眼泪告诉众人，玛格丽特老师直到临终前都放心不下卡玛利拉家族的七个孩子。

《查理九世》新角色征集令

　　博学睿智的查理，聪明好问的墨多多，勇敢直率的虎鲨，勤奋理智的婷婷，富有创造力的扶幽，《查理九世》系列中描写了一个又一个生动的人物形象。当你阅读的时候，是否也幻想过创造一个属于自己的人物角色，让他/她也走进查理九世的世界，来经历那些动人心魄的离奇故事呢？

下面，请按照以下格式来填写你心目中的"破谜者"吧——

姓名：　　　　　　　　　　生日：（年月日）

性别：　　　　　　　　　　外貌设定：

性格：　　　　　　　　　　身世：

特长：　　　　　　　　　　缺点：

经典动作：　　　　　　　　外号：

附言：（一小段符合你塑造的人物角色的情节描述，比如如何和DODO冒险队相识，经历了怎样危险的情境，50—200字。可另附纸。）

编辑部地址：上海邮政信箱203-025# 邮编：201203 欢迎来信！

涂鸦区：

快拿起画笔画出你心中的那个
"破谜者"吧！

我们将从中挑选出优秀的人物角色在新书后
面和网站上加以展示，说不定，你心目中的角
色将会和DODO冒险队一起并肩作战哦！

查理九世的温馨提示：

　　DODO 冒险队是世界冒险协会承认的冒险队，并且由我查理九世亲自提供安全保障。他们的冒险看似危机重重，但是实际上一切都在我的掌控之中。

　　各位小读者，如果你们希望和 DODO 冒险队一样拥有精彩的冒险经历，一定要在家长或者专业人士的陪同下进行，注意安全第一哦！

　　本书适龄读者为 9—16 岁青少年，低龄儿童请在家长提示或陪同下阅读。

[雷欧幻像] 作品
LEON IMAGE WORKS

『查理九世与墨多多』CHARLIE IX
■ Charlie IX Production Committee

STAFF/制作团队

【总策划】
宋巍巍
Vivison

【执行主编】
赵 婷
Mimic.Z

■ 文字
孙 洁
Sue

郝 炜
Glorya

■ 封面
赵 婷
Mimic.Z

■ 插图
孙 东
Sun

李仲宇　周 婧
LLEe　　Qiaqia

■ 灰度
李帧裱
Kuraki

叶偲逊
Yesty

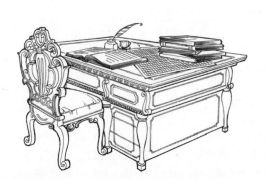

图书在版编目（CIP）数据

香巴拉,世界的尽头/雷欧幻像著. —杭州：浙江少年儿
童出版社，2014.10（2016.2重印）
（查理九世）
ISBN 978-7-5342-8308-6

Ⅰ.①香… Ⅱ.①雷… Ⅲ.①儿童文学－长篇小说－中
国－当代 Ⅳ.①I287.45

中国版本图书馆 CIP 数据核字(2014)第 203312 号

查理九世

香巴拉,世界的尽头

雷欧幻像 著

责任编辑：龚小萍　陈力强　王漪　徐洁
责任校对：冯季庆
责任印制：林百乐
浙江少年儿童出版社出版发行
杭州市天目山路 40 号
杭新印务有限公司印刷
全国各地新华书店经销
开本 889×1194　1/32
印张 6.5　彩页 3
字数 124000
印数 2035001－2285000
2014 年 10 月第 1 版
2016 年 2 月第 15 次印刷
ISBN 978-7-5342-8308-6
定价：15.00 元
（如有印装质量问题，影响阅读，请与承印厂联系调换）

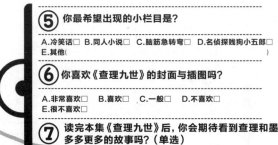

读者问题大募集!!

「查理九世」编辑部地址：
上海邮政信箱203-025# 邮编：201203（热烈欢迎来信！）

更多信息请关注雷欧幻像官方微博：http://weibo.com/u/1855619607
或查理九世制作委员会官方微博：http://weibo.com/u/2267749123

问题&创意专用纸

Charlie' Charlie' Dodomo

姓名：　　　　　　　　性别：

年龄：　　　　　　　　年级：

地址：

QQ：　　　　　　　　电话：

秘籍：如来信附上回信信封并且填写好回邮地址，将极大地提高回信几率！

① 你花了多长时间阅读这本小说？是一口气读完的，还是花了几天时间慢慢地读？

A.一口气读完□　　B.分几天读完□　　C.没读完□　　D.家长不让看□

② 你最喜欢小说中的哪个人物？（打√选择，可多选）

A.墨多多□ B.婷婷□ C.虎鲨□ D.扶幽□ E.查理□ F.亚瑟□ G.唐晓翼□
H.其他　□理由(　　　　　　　　　　　　　　　　　　　　　　)
你希望接下来有什么样的角色登场？

③ 你购买《查理九世》的原因是？

A.书名吸引人□ B.封面好看□　C.朋友介绍□　D.忠实读者，习惯性购买□
E.其他(　　　　　　　　　　　　　　　　　　　　　　　　　　)

④ 你购买《查理九世》的地点是？

A.新华书店□　B.附近小书店□　　C.网购□　　D.超市□
E.其他(　　　　　　　　　　　　　　　　　　　　　　　　　　)

⑤ 你最希望出现的小栏目是？

A.冷笑话□ B.同人小说□　C.脑筋急转弯□　D.名侦探贱狗小五郎□
E.其他(　　　　　　　　　　　　　　　　　　　　　　　　　　)

⑥ 你喜欢《查理九世》的封面与插图吗？

A.非常喜欢□　　B.喜欢□　　C.一般□　　D.不喜欢□
E.很不喜欢□

⑦ 读完本集《查理九世》后，你会期待看到查理和墨多多更多的故事吗？（单选）

A.会□　B.不会□　　C.还好□

Charlie' Dodomo

读者问题大募集!!!

感谢您参与问卷调查，认真填写的小读者将有可能成为《查理九世》免费试读会的成员，将不定期地收到《查理九世》编辑部提供的神秘礼品和各种免费试读少儿读物哦。

冒险、奇遇、神秘、悬疑、竞技、哲理……好故事不需要魔法！请和『查理九世』一起，以脑力和勇气探寻不为人知的世界吧。

秘籍：如来信附上回信信封并且填写好回邮地址，将极大地提高回信几率！

① 本书中令你印象最深刻的场景是哪一个？为什么？

② 你希望《查理九世》系列接下来为你带来什么主题或类型的精彩故事？

③ 你还希望获得什么样的赠品呢？

④ 购买图书时，你觉得赠品重要吗？

A．重要，没有赠品肯定不会买书。□
B．一般，如果有赠品更好。□
C．不重要，我更看重图书的内容。□

⑤ 综合星级评分：（五星为满分）

《黑贝街的亡灵》
故事精彩 ☆☆☆☆☆
谜题难度 ☆☆☆☆☆
封面美型 ☆☆☆☆☆

《恶魔医务室》
故事精彩 ☆☆☆☆☆
谜题难度 ☆☆☆☆☆
封面美型 ☆☆☆☆☆

《羽蛇神的黄金眼》
故事精彩 ☆☆☆☆☆
谜题难度 ☆☆☆☆☆
封面美型 ☆☆☆☆☆

《恐怖的巫女面具》
故事精彩 ☆☆☆☆☆
谜题难度 ☆☆☆☆☆
封面美型 ☆☆☆☆☆

《吸血鬼公墓》
故事精彩 ☆☆☆☆☆
谜题难度 ☆☆☆☆☆
封面美型 ☆☆☆☆☆

《最后的古寺神佛》
故事精彩 ☆☆☆☆☆
谜题难度 ☆☆☆☆☆
封面美型 ☆☆☆☆☆

《恶灵栖息的乌鸦城》
故事精彩 ☆☆☆☆☆
谜题难度 ☆☆☆☆☆
封面美型 ☆☆☆☆☆

《青铜棺的葬礼》
故事精彩 ☆☆☆☆☆
谜题难度 ☆☆☆☆☆
封面美型 ☆☆☆☆☆

《冥府之船》
故事精彩 ☆☆☆☆☆
谜题难度 ☆☆☆☆☆
封面美型 ☆☆☆☆☆

《法老王之心》
故事精彩 ☆☆☆☆☆
谜题难度 ☆☆☆☆☆
封面美型 ☆☆☆☆☆

《白骨森林》
故事精彩 ☆☆☆☆☆
谜题难度 ☆☆☆☆☆
封面美型 ☆☆☆☆☆

《失落的海底城》
故事精彩 ☆☆☆☆☆
谜题难度 ☆☆☆☆☆
封面美型 ☆☆☆☆☆

《鬼公主的嫁衣》
故事精彩 ☆☆☆☆☆
谜题难度 ☆☆☆☆☆
封面美型 ☆☆☆☆☆

《外星怪客》
故事精彩 ☆☆☆☆☆
谜题难度 ☆☆☆☆☆
封面美型 ☆☆☆☆☆

《沙海谜国》
故事精彩 ☆☆☆☆☆
谜题难度 ☆☆☆☆☆
封面美型 ☆☆☆☆☆

《幽灵列车》
故事精彩 ☆☆☆☆☆
谜题难度 ☆☆☆☆☆
封面美型 ☆☆☆☆☆

《地狱温泉的诅咒》
故事精彩 ☆☆☆☆☆
谜题难度 ☆☆☆☆☆
封面美型 ☆☆☆☆☆

《所罗门王的魔戒》
故事精彩 ☆☆☆☆☆
谜题难度 ☆☆☆☆☆
封面美型 ☆☆☆☆☆

《海龟岛的狩猎者》
故事精彩 ☆☆☆☆☆
谜题难度 ☆☆☆☆☆
封面美型 ☆☆☆☆☆

《厄运水晶头骨》
故事精彩 ☆☆☆☆☆
谜题难度 ☆☆☆☆☆
封面美型 ☆☆☆☆☆

《香巴拉，世界的尽头》
故事精彩 ☆☆☆☆☆
谜题难度 ☆☆☆☆☆
封面美型 ☆☆☆☆☆

《不死国的生命树》
故事精彩 ☆☆☆☆☆
谜题难度 ☆☆☆☆☆
封面美型 ☆☆☆☆☆

《黑雾侏罗纪》
故事精彩 ☆☆☆☆☆
谜题难度 ☆☆☆☆☆
封面美型 ☆☆☆☆☆

其中你最喜欢的是哪一本呢？
理由：

注意!!

● 《查理九世》1—23
好评热销中！